Roland Eluerd
Docteur ès lettres

Grammaire essentielle du collège

NATHAN

Dans la même collection :

■ **Cahier d'exercices de grammaire 4ᵉ**
■ **Cahier d'exercices de grammaire 3ᵉ**

© Éditions Nathan, 9 rue Méchain, 75014 Paris, 1995, ISBN : 2.09.171200.0.

INTRODUCTION

La *Grammaire essentielle du collège* est un livre facile à consulter.

▨ Elle peut être ouverte à n'importe quelle page : on a toujours sous les yeux un chapitre complet !
Exemples :

pages 10 et 11 : Le genre des noms.
page 94 : Les subordonnées circonstancielles de temps.

▨ Chaque chapitre donne :
– les définitions ;
– les règles d'emploi ;
– les exemples.

▨ Des remarques en petit corps et des encadrés intitulés *Attention* soulignent un point plus difficile, une erreur à éviter, un détail d'écriture ou de prononciation.

▨ Des tableaux résument et visualisent les points importants.

La *Grammaire essentielle du collège* est un livre de travail pour la classe.

▨ Elle expose et commente les règles essentielles de la grammaire, de l'orthographe et de la conjugaison (tableaux pages 112 à 164).

▨ Les définitions et les règles sont aussi claires et brèves que possibles ; les exemples sont des exemples types, choisis pour faciliter la mémorisation.

▨ Le plan suivi, du mot à la phrase simple, puis à la phrase complexe, est conçu pour un apprentissage méthodique de la langue. Les paragraphes marqués d'un astérisque correspondent spécifiquement aux classes de 4e et de 3e.

La *Grammaire essentielle du collège* est un livre pour travailler à la maison.

▨ Elle permet d'apprendre ou de réviser toutes les leçons de grammaire, quel que soit le manuel utilisé antérieurement.

▨ Les renvois permettent de retrouver les définitions ou les règles utiles.
Exemple :

Page 48, on lit : L'aspect accompli est exprimé par le passé composé (p. 54-1). Le paragraphe 1, p. 54, explique cet usage du passé composé

▨ L'index (pages 165 à 176) comporte toutes les indications nécessaires pour retrouver la page où se trouve une définition, une règle ou un emploi.
Exemple :

la
adverbe 66, 68, 69
-*là*, forme des adjectifs démonstratifs 16
-*là*, forme des pronoms démonstratifs 35
dans le présentatif **voilà** 108

La *Grammaire essentielle du collège* est au centre d'un ensemble pédagogique complet.

Elle est accompagnée de deux cahiers d'exercices, d'abord destinés aux classes de 4e et de 3e, qui assurent l'interactivité nécessaire entre théorie et pratique.

SOMMAIRE

La proposition (p. 74)	
Groupe sujet + GV	*Le corbeau **tenait un fromage**.*
Groupe sujet + GV + complément circonstanciel	*Le corbeau **tenait un fromage dans son bec**.*

▶ Le verbe s'accorde avec le sujet (p. 77).

▶ Le participe passé du verbe a des accords particuliers (p. 65).

Les fonctions dans le groupe nominal (GN, p.9)	
1. GN de base	
Déterminant + nom	***Un** corbeau. **Le** renard. **Ce** fromage.*

▶ Le déterminant s'accorde avec le nom (p. 14).

2. GN de base + constituants complémentaires	
Adjectif épithète	*Un renard **affamé** s'approcha.*
Adjectif épithète détachée	*Un renard, **affamé,** s'approcha.*

▶ L'adjectif épithète et l'épithète détachée s'accordent avec le nom (p. 25).

Subordonnée relative épithète	*Un renard **qui passait** vit le corbeau.*
Relative en position détachée	*Un renard, **qui passait,** vit le corbeau.*
GP complément du nom	*Un fromage **de la région**.*
GN en apposition	*Le renard, **un beau parleur,** s'approcha.*
GN complément du nom	*La rue **Jean-de-La-Fontaine**.*
Subordonnée complétive	*L'idée **qu'il allait manger** plaisait au renard.*

Les fonctions dans le groupe verbal (GV, p. 41)

1. Verbe sans complément de verbe	*Le renard s'approche.*
2. Verbe + un complément de verbe COD	*Le renard voit **le corbeau**.*
▶ Le sujet d'un verbe avec COD devient complément d'agent du verbe mis à la voix passive (p. 44) :	*Le corbeau est vu **par le renard**.*
COI	*Le renard parle **au corbeau**.*
Complément direct de verbe	*Le fromage coûtait **deux écus**.*
Complément indirect de verbe	*Le corbeau venait **du marché**.*
3. Verbe + deux compléments de verbe COD + COS	*Le renard fait **un signe au corbeau**.*
COI + COS	*Le renard parle **de musique au corbeau**.*
4. Les attributs Attribut du sujet	*Le renard est **rusé**.*
Attribut du complément d'objet	*Je trouve la fable **amusante**.*
▶ L'attribut s'accorde avec le sujet ou l'objet (p. 86).	

Les formes des compléments circonstanciels (p. 81)

GN	*Le renard voit le corbeau **tous les jours**.*
GP	*Le renard voit le corbeau **sur son arbre**.*
Adverbe	*Le renard voit le corbeau **souvent**.*
Gérondif	*Le renard a vu le corbeau **en passant**.*
Subordonnée participe	***Le fromage avalé** le renard s'endormit.*
Subordonnée circonstancielle	*Il est tombé **quand le corbeau a chanté**.*

2. LE NOM ET LE GROUPE NOMINAL

1. Le nom

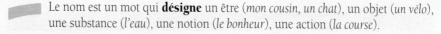

Le nom est un mot qui **désigne** un être (*mon cousin, un chat*), un objet (*un vélo*), une substance (*l'eau*), une notion (*le bonheur*), une action (*la course*).

> Pour la différence entre nom d'action et verbe, voir p. 40-1.

Chaque nom a un **genre**, c'est-à-dire qu'il est **masculin** ou **féminin.**
Le genre est une propriété du nom lui-même (p. 10).
– Noms masculins : *un garçon, un vélo, le bonheur.*
– Noms féminins : *une fille, la course, la paix.*
– Les noms qui désignent des êtres sont souvent variables en genre :
  Mon cousin/ma cousine, un chat/une chatte.

Le nom est un mot **variable en nombre**, c'est-à-dire qu'il peut être employé au **singulier** et au **pluriel** (p. 12). Le nombre dépend de la situation.
– Exemple du nom *pain* employé au singulier : *J'ai acheté un pain.*
– Et au pluriel : *J'ai acheté deux pains.*

2. Les noms communs et les noms propres

Le nom *écrivain* est un nom commun. Il peut désigner n'importe quel écrivain. À l'écrit, le nom commun commence par une **lettre minuscule** :
  Mes écrivains préférés sont...

Le nom *Molière* est un nom propre. Il désigne un seul écrivain. À l'écrit, le nom propre commence par une **lettre majuscule** :
  C'est à Paris que Molière est né.

> Les noms communs peuvent être employés comme des noms propres. Il suffit d'une majuscule : *Ils se sont battus pour la Justice et la Paix.*
> Il ne faut pas abuser de cet effet de style, sinon le nom propre devient banal.

Attention à l'orthographe des noms propres et des noms communs !

Les noms d'habitants sont des noms propres :
  Un Français, un Allemand, un Italien, un Japonais, un Russe...
Les noms des langues sont des noms communs :
  Le français, l'allemand, l'italien, le japonais, le russe...
Ces mots peuvent aussi être employés comme adjectifs qualificatifs :
  La langue française, le drapeau français.
Les noms des directions géographiques sont des noms communs :
  Les oiseaux volaient vers le sud.
Ils deviennent des noms propres pour désigner des régions :
  Le Sud est une région bien ensoleillée.
Les noms des jours, des mois et des saisons sont des noms communs :
  Le mardi 2 août, les vacances d'hiver.

3. La construction du groupe nominal (GN)

 Le nom est le constituant indispensable du groupe nominal. Le GN de base peut être accompagné de constituants complémentaires.

GN de base = déterminant + nom
Un avion. Une voiture. Des disques. Trois jours.

GN = déterminant + nom + constituant complémentaire	
N + adjectif épithète (p. 78-1)	*L'avion **postal** décolle.*
N + épithète détachée (p. 78-2)	*L'avion, **superbe**, monte dans le ciel.*
N + subordonnée relative (p. 92-2)	*L'avion, **qui décolle** va à Rome.*
N + relative épithète détachée (p. 92-3)	*Un avion, **qui décollait**, survola la ville.*
N + GP complément du nom (p. 79-1)	*Cet avion **d'Air France** va à Rome.*
N + GN complément du nom (p. 79-1)	*L'aéroport **Charles-De-Gaulle** est à Roissy.*
N + GN en apposition (p. 79-2)	*L'avion, **un bimoteur**, décolla.*
N + subordonnée complétive (p. 89-4)	*L'idée **que tu viennes** me plaît.*

4. Les fonctions grammaticales du groupe nominal

Les fonctions du GN dans la proposition	
Sujet du verbe (p. 76)	***Mon frère** travaille.*
Complément circonstanciel (p. 81)	*Mon frère travaille **le dimanche**.*

Les fonctions du GN dans le groupe verbal	
COD (p. 83)	*Brigitte a acheté **une voiture**.*
COI (p. 84)	*Brigitte a parlé **de sa voiture**.*
COS (p. 85)	*Brigitte a prêté sa voiture **à Philippe**.*
Complément de verbe (p. 84)	*Cette voiture coûte **50 000 F**.*
Attribut du sujet (p. 86)	*Guillaume est **mon frère**.*
Attribut du COD (p. 87)	*Ils ont élu Anne **déléguée de classe**.*

Les fonctions du GN dans le groupe nominal	
GN dans GP complément de nom (p. 79-1)	*Une tasse **de café**.*
GN en apposition (p. 79-2)	*Guillaume, **mon frère**, est à la piscine.*
GN complément d'adjectif (p. 24-2)	*Un tissu jaune **paille**.*
GN complément de pronom (p.38 et 39)	*Aucun **de mes amis** n'est venu.*

3. LE GENRE DES NOMS

1. Les noms non animés et les noms animés

Les **noms non animés** désignent des objets, des substances, des notions, des actions. Leur genre masculin ou féminin est un **genre grammatical**, c'est-à-dire un genre qui dépend de la langue, et qui ne dépend pas de la réalité.

> Par exemple, en français, *soleil* est un nom masculin (**le** *soleil*), en allemand, c'est un nom féminin (**die** *Sonne*), en anglais, il est au genre neutre (**the** *sun*).

Les **noms animés** désignent des êtres. Leur genre masculin ou féminin correspond à une **différence de sexe**.

2. Le genre des noms non animés

Le genre grammatical des noms non animés ne peut pas être déduit du mot. Si on ne le connaît pas, il faut consulter le dictionnaire :
Un camion, le courage, le saut, un livre.
Une voiture, la patience, la course, une livre.

Plusieurs noms **homonymes** sont distingués par le genre grammatical :
un livre de français	*une livre de pommes (500 g)*
le tour du château	*la tour du château*
un somme (dormir)	*une somme de 30 F*
un manche de couteau	*une manche de veste*
un page de la cour	*une page d'un livre*
un vase de fleurs	*la vase du marais*
un trompette (musicien)	*une trompette (instrument)*
occuper un poste	*aller à la poste*
le mode indicatif	*une revue sur la mode*
un voile de rideau	*une voile de bateau*
etc.	

 On se trompe souvent sur le genre de quelques noms !

Sont masculins :
Un abîme, un antre, un alvéole, un apogée, un armistice, un astérisque, des effluves, un éloge, un équinoxe, un obélisque, un pétale, un tentacule, etc.

Sont féminins :
Des alluvions, une épigramme, une épithète, une espèce, une oasis, une omoplate, une orbite, une oriflamme, les ténèbres.

L'usage hésite entre le masculin et le féminin pour :
Après-midi, autoroute, H.L.M., etc.

Un aigle = l'oiseau mâle. *Une aigle* = l'oiseau femelle et un symbole (*l'aigle romaine*).

Orgue est masculin au singulier (*un bel orgue*) et féminin au pluriel (*les grandes orgues*).

Amour et *délice* sont masculins dans la langue courante. Mais ils ont un pluriel féminin dans la langue littéraire (*des amours passionnées, les merveilleuses délices de la musique*).

3. Le genre des noms animés

Premier cas. On forme le féminin en ajoutant un **-e** au nom masculin, mais la prononciation ne change pas.
– Après -é, -i, -u :
Un marié/une mariée. Un ami/une amie. Un inconnu/une inconnue.
– Après une consonne déjà prononcée :
Un rival/une rivale. Un ours/une ourse.

Deuxième cas. On forme le féminin en ajoutant un **-e** au nom masculin, et la prononciation change.
– Le -e fait prononcer la consonne finale (-t, -d, -s) :
Un candidat/une candidate. Un marchand/une marchande.
Parfois, la consonne t est doublée à l'écrit :
Un chat/une chatte. Un poulet/une poulette (mais préfet/préfète).
– Le -e fait prononcer la consonne et change la voyelle finale.
Cas des noms en -ain/-aine, -in/-ine, -an/-ane, -er/-ère :
Un châtelain/une châtelaine. Un voisin/une voisine.
Un faisan/une faisane. Un boulanger/une boulangère.
La consonne est doublée dans :
Jean/Jeanne, un paysan/une paysanne.
Et dans les noms en -on/-onne, -en/-enne :
Un lion/une lionne, un chien/une chienne.
– Autres finales modifiées :
Un époux/une épouse. Un loup/une louve. Un veuf/une veuve.

Troisième cas. On forme le genre avec des **suffixes**.
– Le suffixe est un suffixe féminin :
Un prince/une princesse, un âne/une ânesse. Un héros/une héroïne.
– Le suffixe est un suffixe masculin :
Un canard/une cane. Un mulet/une mule. Un compagnon/une compagne.
– Le suffixe a deux formes, il est variable en genre :
Un danseur/une danseuse. Un conducteur/une conductrice.
Un enchanteur/une enchanteresse. Un docteur/une doctoresse.
– Les finales ou les suffixes sont différents :
Un serviteur/une servante. Des jumeaux/des jumelles.
Un chevreuil/une chevrette.

Quatrième cas. Le nom masculin et le nom féminin sont différents.
Un homme/une femme. Un frère/une soeur. Monsieur/madame.
Un coq/une poule. Un cerf/une biche. Un lièvre/une hase.

Cinquième cas. Le nom est le même au masculin et au féminin.
– Le genre est donné par le déterminant :
Un artiste/une artiste (noms en -e). Un enfant/une enfant.
– Le genre est donné par un terme d'accompagnement :
Monsieur le ministre/Madame le ministre.
Un éléphant mâle/un éléphant femelle.

4. LE NOMBRE DES NOMS

1. Les noms dénombrables et les noms non dénombrables

Les **noms dénombrables** désignent des êtres ou des choses qu'on peut compter. Ils peuvent s'employer au singulier et au pluriel.

Un film, deux films. Une chanson, mille chansons.

Les noms **non dénombrables** désignent des substances ou des notions qu'on ne peut pas compter, mais dont on peut prélever une partie (voir l'emploi de l'article partitif, p. 15).

Du beurre. De la farine. Du courage. De la patience.

La plupart des noms ont deux emplois :

dénombrables	non dénombrables
Un troupeau de dix/cent moutons.	*C'est du mouton rôti.*
J'ai acheté un pain/deux pains.	*Il ne mange pas de pain.*
Il a deux/trois chances sur dix de gagner.	*J'ai eu de la chance.*

---

2. Le pluriel des noms communs

Cas général. On forme le pluriel en ajoutant un **-s** au nom singulier.

Un chat/des chats, un enfant/des enfants, la route/les routes.

Deuxième cas. On forme le pluriel en ajoutant un **-x** au singulier.
– Ce cas concerne sept noms en *-ou* :
   Des... bijoux, cailloux, choux, genoux, hiboux, joujoux, poux.
– Et les noms en *-au*, *-eu* et *-eau* :
   Des... tuyaux, des cheveux, des tableaux.
Exceptions : *des bleus, des pneus, des landaus, des lieus* (poisson).

Troisième cas. Les noms en **-s**, **-x** et **-z** sont invariables.
   Un avis/des avis, une voix/des voix, un nez/des nez.

Quatrième cas. Les pluriel en *-aux*.
– Les noms en *-al* font leur pluriel en *-aux* : *des animaux, des canaux.*
Mais des noms en *-al* ont un pluriel régulier :
   Des... avals, bals, cals, carnavals, chacals, chorals, festivals, narvals, pals, récitals, régals.
– Les noms en *-ail* ont un pluriel régulier : *des chandails, des rails.*
Mais des noms en *-ail* font leur pluriel en *aux* :
   Des... baux, coraux, émaux, soupiraux, travaux, vantaux, vitraux.

• À l'oral, on entend une marque du pluriel au début des noms qui commencent par une voyelle ou un *h* non aspiré. Cette marque est produite par la liaison obligatoire entre le déterminant et le nom :
   Des [z] enfants. Mes [z] amis. Trois [z] heures.
• On dit : *un œuf [œf]/des œufs [ø], un bœuf [œf]/des bœufs [ø]*
   un os [ɔs]/des os [o].

---

3. Le pluriel des noms composés

Les noms et les adjectifs qui forment les noms composés peuvent se mettre au pluriel. Cela dépend du sens. Les autres éléments sont invariables :
  – Nom + nom. Pluriel selon le sens :
    Un chou-fleur/des choux-fleurs. Un stylo-bille/des stylos-billes.
    Des timbres-poste (la poste). Des années-lumière (la lumière).
  – Nom et adjectif. Généralement pluriel pour les deux :
    Un coffre-fort/des coffres-forts. Des rouges-gorges.
    Des hauts fourneaux (ils sont hauts).
  – Adverbe + nom. Adverbe invariable :
    Des arrière-cours, des avant-postes, des contre-allées.
    Des haut-parleurs (pour parler haut).
  – Verbe + nom. Verbe invariable. Nom au pluriel selon le sens :
    Des chasse-neige (ils chassent la neige), des porte-monnaie.
    Un/des porte-avions. Un/des sèche-cheveux.
  – Autres constructions. Le nom composé reste invariable :
    Des va-et-vient, des laissez-passer, des on-dit.

Les difficultés sont nombreuses : consultez plusieurs dictionnaires !

4. Le pluriel des noms propres

Règle générale : les noms propres n'ont pas de pluriel.
  – Exception : les noms d'habitants (*les Belges, les Suisses, les Canadiens…*).
  – Attention aux noms propres qui sont toujours au pluriel :
    Les Pyrénées, les Vosges, les Ardennes, les Alpes, les Baléares.

Les difficultés sont nombreuses : consultez plusieurs dictionnaires !

5. Le pluriel des noms empruntés à une langue étrangère

La plupart ont un pluriel en -s : *des barmans, des solos, des pizzas.* Les «Rectifications de l'orthographe», de 1990, appliquent cette règle à tous les mots empruntés.

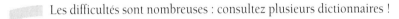 **à certains pluriels particuliers !**
Un œil/des yeux, mais *des œils-de-bœuf.*
Le ciel/les cieux, mais *les ciels d'un peintre.*
Un aïeul/des aïeuls (les grands-parents), *les aïeux* (les ancêtres).
Madame, mademoiselle, monsieur/mesdames, mesdemoiselles, messieurs.
Amour, délice et orgue (voir p. 10).

• **Quelques noms sont toujours au pluriel :**
  Arrhes, bestiaux, catacombes, entrailles, environs, fiançailles, floralies, frusques, funérailles, gravats, mânes, mœurs, obsèques, pourparlers, prémices…

• **Ne pas confondre :**
  Un ciseau (outil tranchant), *des ciseaux* (une paire de ciseaux).
  Une lunette astronomique, des lunettes.
  Une menotte (petite main), *des menottes.*

5. LES DÉTERMINANTS DU NOM. LES ARTICLES

1. Les déterminants du nom

Le déterminant et le nom constituent le groupe nominal de base (p. 9-3). Employé dans un dictionnaire, le nom *vélo* renvoie à tous les vélos possibles. Le **GN déterminant + nom** indique avec plus ou moins de précision de quel(s) vélo(s) il s'agit : *un vélo, mon vélo, ces vélos.*

Tout mot précédé d'un déterminant devient un nom :
Rire (verbe) → *Le rire.* *Bleu (adjectif)* → *Ce bleu.*

• Les **déterminants spécifiques** ne se combinent pas entre eux. Ce sont les articles, les adjectifs démonstratifs (p. 16) et les adjectifs possessifs (p. 17).
• Les **déterminants complémentaires** s'emploient seuls ou parfois combinés entre eux et avec certains déterminants spécifiques (p.22). Ce sont les adjectifs interrogatifs et exclamatifs (p. 18), les adjectifs numéraux (p. 19) et les adjectifs indéfinis (p. 20).

2. L'article indéfini

	masculin	féminin
singulier	un	une
pluriel	des	

L'article indéfini **s'accorde en genre et en nombre** avec le nom qu'il accompagne.

Emploi 1. Le GN article indéfini + nom **signale l'existence** d'un être ou d'une chose (ou de plusieurs), **sans l'identifier** de manière précise :
*Elle a acheté **un livre**.* On ne dit pas lequel parmi tous les livres.
*Il est venu avec **des amis**.* On ne dit pas lesquels parmi tous ses amis.

Emploi 2. Le GN au singulier **désigne un ensemble** :
*Il faut de bons freins sur **un vélo**.* Sur tous les vélos !

À la forme négative, l'article indéfini est remplacé par *de* :
*J'ai apporté **un disque**. Je n'ai pas apporté **de disque**.*
On conserve l'article indéfini pour souligner une opposition :
*Je n'ai pas apporté **un disque** mais **une cassette**.*
Dans l'usage soutenu, *des* devient *de* devant un adjectif :
*Elle a reçu **des nouvelles**. Elle a reçu **de bonnes nouvelles**.*

Dans un récit, l'article indéfini introduit un élément nouveau :
***Un cavalier** approchait.*

On peut ensuite employer :
– un article défini (p. 15) : *Près du pont, **le cavalier** s'arrêta.*
– un adjectif démonstratif (p. 16): ***Ce cavalier** portait une cape rouge.*
– un pronom personnel (p. 31) : ***Il** semblait chercher sa route.*

3. L'article défini

	Formes simples		Formes contractées
	masculin	**féminin**	**masculin**
singulier	le, l'	la, l'	au (= à le) du (= de le)
pluriel	les		aux (= à les) des (= de les)

L'article défini **s'accorde en genre et en nombre** avec le nom qu'il accompagne.

Emploi 1. Le GN article défini + nom **désigne** un être ou une chose (ou plusieurs) qui est **identifié, connu**.
– L'être ou la chose est connu par les interlocuteurs (p. 101-1) :
   *Tu as réparé **le vélo** ?*   « Je » et « tu » connaissent ce vélo.
– Ou bien il est connu par tout le monde :
   *Il aime **la musique**. Elle observe **les étoiles**.*
– Ou bien il est connu parce qu'il a été présenté dans l'énoncé :
   ***Un cavalier** approchait. Près du pont, **le cavalier** s'arrêta.*
– Ou bien il est identifié par des constituants complémentaires du GN (p. 9) :
   ***Le vélo que j'ai acheté** est bleu.*

Emploi 2. Le GN article défini + nom au singulier **désigne l'ensemble entier** d'êtres ou de choses :
   ***L'éléphant** est herbivore.*   L'espèce «éléphant».

4. L'article partitif

masculin singulier	du, de l'	féminin singulier	de la, de l'

Emploi. Le GN article partitif + nom désigne une part ou **une certaine quantité** de quelque chose. Il s'emploie avec les **noms non dénombrables** (p. 12) :
   *Manger **du pain**. Boire **de l'eau**.*

• À la forme négative, *du* et *de la* sont remplacés par *de* :
   *Ne pas manger **de pain**. Ne pas boire **d'eau**.*
• Mais ces formes sont conservées pour souligner une opposition :
   *Je ne mange pas **du pain** mais **de la brioche**.*

Attention **à ne pas confondre !**

*Voir **des** amis.*	*Des* : article indéfini. Singulier : *Voir un ami.*
*Parler **des** devoirs.*	*Des* : article défini contracté. Singulier : *Parler du devoir.*
*Je reviens **dès** demain.*	*Dès* : préposition (p. 73). Accent grave !
*Il mange **du** pain.*	*Du* : article partitif.
*Il revient **du** Japon.*	*Du* : article défini contracté : « de le » Japon.
***Le** jour. **La** nuit. **Les** mois.*	*Le, la, les* : article défini + nom.
*Je **le/la/les** vois.*	*Le, la, les* : pronom complément + verbe (p. 31-4).

6. LES ADJECTIFS DÉMONSTRATIFS

1. Les formes de l'adjectif démonstratif

	masculin		féminin
	avec consonne	avec voyelle	
au singulier	ce copain	cet ami	cette
au pluriel	ces		

L'adjectif démonstratif s'accorde **en genre et en nombre** avec le nom qu'il accompagne.

2. Les emplois de l'adjectif démonstratif

Le GN adjectif démonstratif + nom **« montre »** un être ou une chose.
– Ou bien ce qu'il «montre» est dans la situation d'énonciation (p. 101-1) :
*Qu'est-ce que tu penses de **cette couleur** pour une voiture ?*
– Ou bien ce qu'il «montre» est cité dans l'énoncé :
Une étoile brillait. **Cette étoile** avait un éclat bleuté.

3. Les formes composées avec -*ci* et -*là*

Dans l'usage soutenu, les formes composées avec -*ci* «montrent» ce qui est proche du locuteur. Les formes composées avec -*là* «montrent» ce qui est plus éloigné de lui :
*Je ne veux pas **ce livre-ci**, mais **ce livre-là**.*

Dans l'usage courant du français d'aujourd'hui, les formes avec -*ci* sont plus rarement employées. On dit généralement :
*Je ne veux pas ce livre, mais **ce livre-là**.*

Mais les formes -*ci* et -*là* sont couramment employées pour opposer un passé récent à un passé plus ancien :
*Je ne l'ai pas vu **ces jours-ci**.*   Ces derniers jours.
***Ces jours-là** sont passés.*   Il y a déjà longtemps.

Attention à ne pas confondre !

*Tu connais **cet ami** ?*	*Cet* : masculin singulier.
*Tu connais **cette amie** ?*	*Cette* : féminin singulier.
*Tu connais **ses amis** ?*	*Ses* : adjectif possessif. Singulier : *son ami*.
*Tu connais **ces amis** ?*	*Ces* : adjectif démonstratif. Singulier : *cet ami*.
*Il prend **ce** train.*	*Ce* : adjectif démonstratif. Pluriel : *ces trains*.
*Il **se** lave.*	*Se* : pronom personnel complément + verbe (p. 32-2).

7. LES ADJECTIFS POSSESSIFS

1. Les formes de l'adjectif possessif

Personne du possesseur	Devant un nom au singulier			Devant un nom au pluriel
	commençant par une consonne		commençant par une voyelle	
	masculin	féminin		
moi	mon vélo	ma moto	mon ami(e)	mes
toi	ton vélo	ta moto	ton ami(e)	tes
lui/elle	son vélo	sa moto	son ami(e)	ses
nous	notre			nos
vous	votre			vos
eux	leur			leurs

L'adjectif possessif **s'accorde en genre et en nombre** avec le nom qu'il accompagne. Il **s'accorde en personne** avec le possesseur.

> Les adjectifs possessifs **toniques** ne sont employés que dans l'usage soutenu :
> *Mien, tien, sien, nôtre, vôtre, leur.*
> – Ils s'emploient comme déterminants :
> *Une mienne amie.*   *Une de mes amies, une amie à moi.*
> – Ou comme attributs :
> *Ces idées sont nôtres.*   *Nous partageons ces idées.*

2. Les emplois de l'adjectif possessif

Le GN adjectif possessif + nom peut exprimer :
– Une possession, une propriété : *son vélo, ses disques.*
– Un lien de famille : *mon frère, ma cousine, mes grands-parents.*
– Un rapport d'amitié, d'affection : *nos copains, mon chéri.*
– Des relations diverses : *perdre son temps. Notre train va partir !*

Le «possesseur» doit être **connu.**
– Il est connu par les interlocuteurs de la situation d'énonciation (p. 101-1) :
Mon stylo *est cassé. Tu peux me prêter* **ton crayon** ?
– Ou bien il est connu parce qu'il est cité dans l'énoncé :
Paul *avait vendu* **son vélo**.

> Quand le GN désigne une partie du corps, on emploie généralement un article défini :
> *Il a levé la main.*
> Mais si le GN comporte une précision particulière, on emploie un adjectif possessif :
> *Il a levé sa main blessée.*

 **à ne pas confondre !**

Leur *ami.* **Leurs** *amis.*	Adjectif possessif + nom.
Je **lui/leur** *répondrai.*	Pronom personnel complément + verbe (p. 31-4).
Ces idées sont **nôtres.**	*Nôtres :* adjectif possessif tonique.
Ce sont **les nôtres.**	*Les nôtres :* pronom possessif (p. 36-1).

8. LES ADJECTIFS INTERROGATIFS ET EXCLAMATIFS

1. Les formes des adjectifs interrogatifs et exclamatifs

❋ Les adjectifs interrogatifs et exclamatifs ont les mêmes formes. Ils **s'accordent en genre et en nombre** avec le nom qu'ils déterminent.

Nom	Masculin	Féminin
Singulier	Quel garçon ? Quel champion !	Quelle fille ? Quelle championne !
Pluriel	Quels garçons ? Quels champions !	Quelles filles ? Quelles championnes !

2. Les emplois des adjectifs interrogatifs et exclamatifs

❋ Ces adjectifs ne se combinent pas avec les déterminants spécifiques, c'est-à-dire les articles, les possessifs et les démonstratifs (p. 14-1).
– Ils se combinent avec l'adjectif indéfini *autre* :
  Quel autre jour *as-tu de libre ?*
– Et avec les adjectifs numéraux ordinaux :
  Quelle première *mi-temps !*

❋ Le GN adjectif interrogatif + nom s'emploie dans des phrases de type interrogatif (p. 103-5) :
  *Dans **quelle rue** est-ce que tu habites ?*   ***Quels disques** préfères-tu ?*

> Dans la construction interrogative : *quel* + *être* + sujet, l'adjectif interrogatif *quel* est attribut du sujet : *Quelle est ta décision ?*

❋ Le GN adjectif exclamatif + nom s'emploie dans des phrases de type exclamatif (p. 102-3) :
  ***Quel dommage** que tu partes ! **Quelle** belle **journée** !*
  ***Quelles** belles **journées** nous avons eues en juin !*

Attention

• Dans un texte et dans un titre d'œuvre, les nombres sont écrits en lettres :
  Il est resté trois jours avec nous.
  Les Trois Mousquetaires (Alexandre Dumas).
  Le Tour du monde en quatre-vingts jours (Jules Verne).

• On écrit en chiffres arabes les dates : *14 juillet 1789*, et les données scientifiques ou techniques : *2 km, 30 km/h, 100 F, 25°.*

• On écrit en chiffres romains : *Henri IV, Louis XIV ou Jean-Paul II.*

• On emploie les deux systèmes pour les siècles : *18ᵉ siècle ou XVIIIᵉ siècle*, les tomes et les chapitres : *Tome II ou Tome 2.*

9. LES ADJECTIFS NUMÉRAUX

1. Les adjectifs numéraux cardinaux

- Formes simples : *un, deux, trois, quatre, cinq, six, sept, huit, neuf, dix, onze, douze, treize, quatorze, quinze, seize, vingt, trente, quarante, cinquante, soixante, cent et mille.*
- Formes composées à partir des formes simples : *dix-neuf, trente et un, cent vingt-trois, cinq mille six cent quarante-deux.*

Les adjectifs numéraux cardinaux sont invariables :
Trente élèves. Les quatre saisons. Mille jours.
- Mais *un* est variable en genre : *un/une, trente et un/trente et une.*
- *Vingt* et *cent* prennent le pluriel en fin de nombre : *quatre-vingts, trois cents.*
Ils sont invariables si un numéral les suit : *quatre-vingt-un, trois cent dix.*
- *Million* et *milliard* sont des noms : *deux millions, trois milliards.*

> On place un trait d'union entre deux numéraux cardinaux inférieurs à cent :
> *Dix-huit, six cent quatre-vingt-seize.*
> Les « Rectifications » de 1990 autorisent : *cent-trois, deux-cent-quatre-vingt-trois.*
> On n'emploie pas de trait d'union pour les numéraux coordonnés par *et* :
> *Trente et un, soixante et onze.*

Emplois. L'adjectif numéral cardinal indique un nombre d'unités.
- Il s'emploie seul : **une** heure, **vingt-cinq** ans, **cent** francs,
ou avec d'autres déterminants : **ces deux** clés, **les six autres** mois.
- Il peut être attribut : *Ils sont* **quatre**.
- Placé après le nom, il indique un rang : *Henri* **IV**, *l'an* **2000**.

> Les adjectifs numéraux cardinaux peuvent devenir des noms :
> *Elle a eu* **un seize** *en français. Trois fois* **deux** *font* **six**.

2. Les adjectifs numéraux ordinaux

Formes. Sauf *premier* et *second*, l'adjectif numéral ordinal est formé sur le cardinal correspondant, auquel on ajoute le suffixe *-ième* :
Dix → *dixième. Vingt et un* → *vingt et unième. Cent* → *centième.*

Premier et *second* s'accordent en genre et en nombre :
Les **premiers** *coureurs. La* **seconde** *mi-temps.*
Les autres numéraux ordinaux s'accordent en nombre :
Ce coureur «collectionne» les **deuxièmes** *places.*

Emplois. L'adjectif numéral ordinal indique un rang.
- Il s'emploie après un autre déterminant : **les premières** *semaines.*
- Ou comme un adjectif postposé (27-2) : *François* **Ier**, *tome* **second**.
- Il peut être attribut : *Ce coureur est* **cinquième**.

> L'adjectif numéral ordinal peut devenir un nom : **Le premier** *gagne une coupe.*
> À partir de *cinq*, ce nom désigne une division : *un cinquième (1/5).*
> *Moitié (1/2), tiers (1/3) et quart (1/4)* sont les noms des divisions inférieures à cinq.

10. LES ADJECTIFS INDÉFINIS

1. Adjectifs indéfinis exprimant une quantité

Aucun/aucune, nul/nulle, pas un/pas une + nom sont toujours au singulier et expriment une quantité nulle. Ils sont associés à un autre mot négatif :
*Aucun projet ne convient. Ce chemin ne va **nulle** part.*

Un certain/une certaine + nom commun au singulier exprime une quantité ou une valeur qu'on ne précise pas :
*Il pleut depuis **un certain** temps. Il montre une **certaine** audace !*
Un certain/une certaine + nom propre désigne une personne qu'on ne connaît pas, ou qu'on fait semblant de ne pas connaître :
*J'ai rencontré **un certain** M. Robert.*

Certains/certaines + nom au pluriel exprime une quantité petite et imprécise :
Certaines fleurs fanent vite.
Locutions de valeurs plus importantes : *beaucoup de, la plupart des.*

> **Certain/certaine** + nom au singulier appartient à l'usage soutenu. Il a une valeur proche de l'article *un* : **Certaine** *personne dit que...*

Quelques + nom au pluriel exprime une petite quantité non précisée :
*J'ai eu **quelques** mauvaises notes.*
Il peut s'employer après un déterminant spécifique :
*Je vais te présenter **les quelques** amies qui sont là.*

> **Quelque** + nom singulier appartient à l'usage soutenu : *J'ai **quelque** peine.*
> Usage courant pour : *Je reviens dans **quelque** temps.*
> Locution de même valeur : *un peu de.*

Plusieurs + nom au pluriel exprime une plus grande quantité que *quelques* :
*J'ai eu **plusieurs** mauvaises notes.*
Locutions proches : *pas mal de, bien des.* Plus forte : *beaucoup de.*

> **Maint/mainte** appartient à un usage ancien : *en maintes occasions, à maintes reprises, mainte(s) et mainte(s) fois.*

Différents/différentes, divers/diverses + nom au pluriel ont un sens proche de *plusieurs*, mais ajoutent une idée de variété :
*Le professeur a interrogé **différents** élèves. **Diverses** personnes.*

Attention **à ne pas confondre !**

Adjectifs indéfinis	Adjectifs qualificatifs
Nul projet.	Un projet **nul** = sans valeur.
Certains amis.	Un talent **certain** = prouvé.
Différents avis (sans article).	Des avis **différents** = opposés.
Divers amis (sans article).	Des amis **divers**. Les **divers** amis.
Un **autre** homme.	Un homme **autre** = changé.
Un **quelconque**/ film /**quelconque**.	Un film (très) **quelconque** = banal.

2. Adjectifs indéfinis exprimant la totalité

Tout/toute + déterminant spécifique + nom au singulier exprime la totalité envisagée d'un point de vue global :
Toute l'équipe est là.   L'équipe entière, au complet.
Tous/toutes + déterminant spécifique + nom au pluriel exprime la totalité envisagée du point de vue du nombre :
Toutes les équipes sont là.   L'ensemble des équipes.

Tout/toute + nom au singulier a deux sens :
– Totalité élément par élément («chaque») :
Tout spectateur doit être muni d'un billet d'entrée.
– Totalité globale («en entier») dans quelques expressions :
De tout cœur. Tout Paris était là.
Tous/toutes + nom au pluriel a le même sens que *tous* + *les* + nom :
À tous points de vue. De tous côtés. Toutes taxes comprises.

Chaque est singulier. Il exprime la totalité élément par élément :
Chaque élève a reçu un bulletin d'inscription.

3. Adjectifs indéfinis exprimant l'identité ou la différence

Déterminant spécifique + **même/mêmes** + nom exprime une identité :
C'est la même marque de voiture.   Une marque semblable.
Après une préposition, le déterminant spécifique peut être supprimé :
C'est une auto de la même marque / de même marque.
Nom + **même** précise une identité :
C'est le courage même.   Le courage au sens exact du mot.

Déterminant spécifique + **autre/autres** + nom exprime une différence :
Prête-moi une autre gomme et les autres crayons.

4. Adjectifs indéfinis exprimant l'indétermination

Quelconque/quelconques peut se placer avant ou après le nom. Il s'emploie avec l'article indéfini (locution de même valeur : *n'importe quel*) :
Je donnerai un quelconque/prétexte/quelconque pour ne pas sortir.

Tel/telle + nom au singulier «montre» un être ou une chose, mais sans donner de précisions sur son identité. L'usage courant associe deux *tel* :
Telle personne dit blanc, telle personne dit noir.
Chaque jour, tel ou tel appareil tombe en panne.
Tels/telles + nom au pluriel appartient à l'usage soutenu :
Tels amis promettent tout qui ne tiennent rien.

Attention **à ne pas confondre l'adjectif indéfini *tel* avec l'adjectif qualificatif *tel* !**
L'adjectif qualificatif exprime un superlatif : *Il a une **telle** chance !* (= une si grande chance)
Ou il introduit une comparaison : *Jean est parti **tel** un bolide.* (= comme un bolide)
Deux accords sont possibles : *Jean est parti **tel** (ou **telle**) une fusée.*

11. LES DÉTERMINANTS DANS LE GROUPE NOMINAL

1. Les constructions du groupe nominal de base

Déterminant spécifique + nom

Article + nom	*Un livre. La rue. Du pain.*
Adj. possessif + nom	*Mon vélo. Sa moto. Nos amis.*
Adj. démonstratif + nom	*Ce livre. Cet ami. Ces vélos.*

La combinaison de deux déterminants spécifiques est impossible.

Déterminant complémentaire + nom

Adj. numéral cardinal + nom	*Deux jours. Mille personnes.*
Adj. interrogatif ou exclamatif + nom	*Quel jour ? Quelle idée !*
Adj. indéfini + nom	*Aucun progrès. Nul espoir. Quelques nuages. Certains jours. Plusieurs mois. Toute personne. Chaque jour. Différentes idées. Divers projets. Tel jour.*

Déterminant spécifique + déterminant complémentaire + nom

Article + adj. numéral cardinal + nom	*Les deux coureurs.*
Article + adj. numéral ordinal + nom	*La première mi-temps.*
Article + adj. indéfini + nom	*Un autre jour. Les mêmes joueurs.*
Adj. possessif + adj. numéral cardinal + nom Etc.	*Mes trois frères.*

Deux déterminants complémentaires + nom

Adj. numéral cardinal + adj. indéfini *autre* + nom	*Six autres mois.*
Adj. interrogatif + adj. indéfini *autre* + nom	*Quel autre jour ?*
Adj. indéfini + *autre* + nom	*Aucun autre mot. Plusieurs autres mots.*

Déterminant spécifique + déterminants complémentaires + nom

Article + adj. numéral cardinal + adj. numéral ordinal + nom	*Les trois premiers jours.*
Article + adj. numéral cardinal + adj. indéfini + nom	*Les deux mêmes personnes. Mes deux autres amis.*
Adj. possessif + adj. indéfini + adj. indéfini *autre* + nom Etc.	*Ses quelques autres amis.*

Tout + déterminant(s) + nom

Tout + déterminant spécifique + nom	*Tout le temps. Toute cette journée. Tous mes amis.*
Tout + déterminant spécifique + déterminant complémentaire + nom	*Tout le premier soir. Tous mes autres amis.*

2. Le groupe nominal avec un nom propre

Le nom propre est employé sans déterminant :
> *Molière est né à Paris.*
> *Victor Hugo a écrit « Notre-Dame de Paris ».*

– Mais il y a des noms de ville qui comportent un article :
> *Le Mans, Le Havre, La Charité-sur-Loire, La Rochelle.*

– Les noms géographiques sont généralement employés avec un article :
> *Le Rhin, le Niger, les Alpes, l'Asie, la Suisse, le Vietnam.*

– Mais : *Cuba, Haïti, Israël, Madagascar.*

✳ Si le nom propre est accompagné par une épithète ou un complément, le déterminant spécifique redevient nécessaire :
> *Paris / Le vieux Paris / Le Paris décrit par Victor Hugo.*

3. Le groupe nominal sans déterminant

Le déterminant est toujours absent quand le nom est pris avec son sens le plus général.

– Dans les proverbes :
> *Pierre qui roule n'amasse pas mousse.*

– Dans de nombreuses locutions verbales :
> *Avoir peur, avoir faim, avoir raison, avoir tort. Prendre froid.*
> *Faire face, faire peur. Plier bagages. Rendre coup pour coup.*

– Quand le nom est attribut (p. 87-4) :
> *Mon frère est garagiste. Anne est professeur de chimie.*

– Quand le nom est dans un GP complément du nom (p. 79-1) :
> *Une tasse de café, une tasse à café. Une bouteille d'eau.*

– Quand le nom est en apostrophe (p. 101-3) :
> *Joie ! Ô joie ! Enfin les vacances !*

✳ Si le nom est accompagné par une épithète ou un complément, le déterminant redevient parfois nécessaire :

> *Elle m'a fait **peur**.* — *Elle m'a fait **une peur bleue**.*
> *Mon frère est **garagiste**.* — *Mon frère est **un bon garagiste**.*
> *Une tasse de **café**.* — *Une tasse d'**un excellent café**.*

✳ Le déterminant est généralement supprimé dans les énoncés qui doivent être brefs.

– Titres de presse : *Orages sur le Midi.*
– Titres d'ouvrages : *Grammaire française. Guide des campings.*
– Notes, télégrammes : *Aller garage pour changer pneus avant.*
– Dans les désignations : *Camembert supérieur. Entrée interdite.*

✳ Le déterminant peut être supprimé.

– Dans les énumérations : *J'ai tout : masque, tuba, palmes et... maillot !*
– Dans les constructions négatives : *Il est venu sans (son) parapluie.*
– Devant les noms en apposition (p. 79-2) :
> *Henri de Navarre, (le) futur Henri IV, est né à Pau.*

12. L'ADJECTIF QUALIFICATIF

1. L'adjectif qualificatif

L'adjectif qualificatif est un mot qu'on **ajoute au nom** pour désigner un carac-tère ou une qualité particulière d'un être (*un garçon têtu*), d'un objet (*un beau vélo*), d'une substance (*de l'eau potable*), d'une notion (*un grand bonheur*), d'une action (*une course rapide*), etc.

L'adjectif peut être :
– ou bien épithète, constituant complémentaire d'un GN (p. 78),
– ou bien attribut, constituant d'un GV attributif (p. 86, 87).

* **L'adjectif qualificatif proprement dit** exprime une qualité ou un caractère attribué à l'être ou la chose désigné par le nom :

*Un garçon **têtu**.* Ce garçon est têtu.
  Il peut être plus ou moins têtu.

> L'adjectif qualificatif proprement dit peut être attribut (p. 86) et il peut prendre des degrés de signification (p. 26).

* Lorsque l'adjectif qualificatif a la valeur d'un complément du nom (p. 79-1), on l'appelle **adjectif qualificatif de relation**.

*L'industrie **chimique**.* C'est l'industrie de la chimie.
On ne peut pas dire : « Cette industrie est chimique ».
  Elle ne peut pas être plus ou moins chimique.

> L'adjectif qualificatif de relation ne peut pas être attribut et il ne peut pas prendre de degrés de signification.

2. Le groupe adjectif

Groupe adjectif = adjectif seul	
*Un rideau **bleu**. Une leçon **difficile**. Un **bon** ami.*	

Groupe adjectif = adjectif + complément de l'adjectif	
Adj. + adjectif	*Un rideau **bleu foncé**. Une robe **jaune clair**.*
Adj. + GN	*Un rideau **bleu ciel**. Une robe **jaune paille**.*
Adj. + GP (p. 73)	*Un élève **satisfait de ses notes**.* *Une leçon **difficile à apprendre**.*
Adj. + subordonnée complétive (p. 89-4)	*Je suis **content que tu viennes**.*

Groupe adjectif = adjectif avec degré de signification	
Adj. + adverbe d'intensité (p. 26-1, p. 68-2)	*Un **très bon** ami.*
Adj. + comparatif (p. 26-2)	*Bertrand est **plus têtu que** Guillaume.*
Adj. + comparatif généralisé (p. 26-3)	*Bertrand est **le plus têtu**.*

3. Les fonctions grammaticales de l'adjectif qualificatif

Les fonctions de l'adjectif qualificatif dans le GN	
Épithète (p. 78-1)	*Un rideau **bleu** cachait la fenêtre.*
Épithète détachée (p. 78-2)	*Bertrand, **têtu**, refusa de venir.*

Dans le GN, l'adjectif peut être également :
– épithète d'un pronom (construit avec *de*, p. 78-2) : *rien de **nouveau**.*
– complément d'un adjectif (p. 24-2) : *un manteau vert **foncé**.*

Les fonctions de l'adjectif qualificatif dans le GV	
Attribut du sujet (p. 86)	*Agnès est **têtue**.*
Attribut du complément d'objet (p. 87)	*Je trouve ces films **intéressants**.*

Les adjectifs sont **attributs du sujet** après les verbes d'état :
Être, sembler, paraître, devenir, avoir l'air, etc.
Les adjectifs sont **attributs de l'objet** dans quelques constructions :
Croire/rendre quelqu'un malade, heureux...
Estimer/trouver quelque chose utile, pratique...
Croire/juger/déclarer quelqu'un innocent, coupable...

4. L'accord de l'adjectif qualificatif

Dans toutes ses fonctions, l'adjectif qualificatif **s'accorde en genre et en nombre** avec le nom qu'il qualifie.
– Épithète du nom : *une voiture **neuve**, des voitures **neuves**.*
– Attribut du sujet : *Paul est **content**. Paule et Annie sont **contentes**.*
– Attribut du COD : *Cette odeur me rend **malade** / nous rend **malades**.*

 à l'accord des adjectifs !

• Certains adjectifs sont invariables (voir p. 29-4).
• Les adjectifs employés comme adverbes sont invariables (p. 67-Attention !).
• Quand un adjectif qualifie plusieurs noms, il se met au pluriel :
*Un manteau et un veston **gris**. Une veste et une pochette **grises**.*

Quand un adjectif qualifie plusieurs noms féminins et au moins un nom masculin, il se met au masculin pluriel. Pour rapprocher les genres, on termine parfois par le nom au masculin : *une veste et un manteau **blancs**.*

*Une veste de coton **blanc**.*	Blanc : épithète de *coton*.
*Une veste de coton **blanche**.*	Blanche : épithète de *veste de coton*.
*Une veste et un manteau **noir**.*	Noir : épithète de *manteau*.
*Une veste et un manteau **noirs**.*	Noirs : épithète de *veste* et *de manteau*.
*Elle a l'air **lasse**.*	Lasse : attribut du sujet *elle* (verbe *avoir l'air*).
*Elle a l'air **las** des gens grippés.*	Las : épithète du nom *air*.

13. L'ADJECTIF QUALIFICATIF : SES DEGRÉS DE SIGNIFICATION

1. Les degrés d'intensité et le superlatif absolu

Ils sont marqués par des adverbes compléments de l'adjectif :
Une fille sportive → ***très/assez/plus/moins/peu****... sportive.*
Le degré d'intensité extrême (***très****...*) est appelé aussi **superlatif absolu**, parce qu'il s'emploie sans référence à une comparaison.

2. Le comparatif

Quand la même qualité est attribuée à plusieurs êtres ou choses, on peut comparer les différents degrés de cette qualité.
– **Comparatif d'égalité** : AUSSI + adjectif + QUE...
*Anne est **aussi sportive qu'**Agnès.*
– **Comparatif d'infériorité** : MOINS + adjectif + QUE...
*Jean est **moins sportif que** Nicolas.*
– **Comparatif de supériorité** : PLUS + adjectif + QUE...
*Nicolas est **plus sportif que** Jean.*

– Comparatif de supériorité irrégulier dont l'emploi est obligatoire :
Bon → meilleur *: Ton devoir est **meilleur que** le mien.*
– Comparatifs de supériorité irréguliers de l'usage soutenu :
Petit -> moindre *: Ce timbre a une valeur **moindre** que celui-là.*
Mauvais → pis, pire *: Ce film est **pire que** le précédent.*

> Les comparatifs *meilleur, pire et moindre* ne peuvent évidemment pas être mis au comparatif. On ne dit pas : « Le plus meilleur que... » (!!).

Le complément du comparatif peut prendre plusieurs formes.
– Nom ou pronom : *Jean est plus grand que **son frère**. / ... que **moi**.*
– Adjectif qualificatif : *Il fait moins froid qu'**humide**.*
– Adverbe : *Il fait aussi froid qu'**ici**/qu'**hier**.*
– Groupe prépositionnel : *Il fait moins froid que **dans la rue**.*
– Proposition subordonnée comparative : *Il fait **plus** froid **que tu ne penses**.*

3. Le comparatif généralisé (ou superlatif relatif)

– Le **comparatif généralisé** exprime un degré extrême de supériorité ou d'infériorité. On l'appelle aussi **superlatif relatif**. Il est formé du comparatif précédé par un article défini ou un adjectif possessif :
***La plus belle** chanson. **Sa moins bonne** chanson.*
– Le comparatif généralisé peut aussi être placé après le nom :
*C'est la chanson **la plus belle**. C'est sa chanson **la moins bonne**.*

> Comparatifs généralisés irréguliers : **le meilleur, le moindre, le pire**.

Le complément du comparatif généralisé est introduit par *de* (avec valeur partitive, voir p. 15-4) : *C'est la plus belle **des** chansons de ce disque.*

14. LA PLACE DES ADJECTIFS ÉPITHÈTES

1. Généralités

La place courante et «normale» de l'adjectif qualificatif épithète est a**près le nom (postposé)**. Quand un adjectif épithète est **avant le nom (antéposé)**, c'est en raison de l'usage, d'un effet de style ou d'une différence de sens.

2. Les adjectifs toujours placés après le nom (postposés)

⁂ Certains adjectifs ne peuvent pas être antéposés :
– Les adjectifs de relation (p. 24-1) : *un film publicitaire.*
– Les adjectifs de couleur : *un ciel bleu, un ruban rouge.*
– Les adjectifs de forme : *une table ronde, une table ovale.*
– Les adjectifs de nationalité : *un écrivain français.*
– Les adjectifs formés sur un participe : *un bras cassé.*
– Les groupes adjectif + complément : *un film agréable à voir.*

3. Les adjectifs souvent placés avant le nom (antéposés)

⁂ Quelques adjectifs sont presque toujours antéposés :
Un beau vélo. Un vieux livre. Un joli tableau. Une petite maison.
Une mauvaise farce. Une bonne idée. Une haute montagne, etc.
Associés à un autre adjectif, ils sont généralement postposés :
Un vélo beau et solide. Une maison petite mais confortable.

4. L'antéposition stylistique

⁂ Quand un adjectif peut être employé après et avant le nom, l'antéposition est une mise en relief de l'adjectif :
Un vélo superbe → *un superbe vélo.*
Un film agréable → *un agréable film.*
Il ne faut pas abuser de cette possibilité car elle est vite lassante.

5. Les adjectifs qui ont deux sens

Adjectif antéposé	Adjectif postposé
Un grand homme (dans l'Histoire).	*Un homme grand* (de taille).
Un brave homme (gentil, bon).	*Un homme brave* (courageux).
Un curieux bonhomme (bizarre).	*Un bonhomme curieux* (curiosité).
Un ancien cinéma (devenu un garage).	*Un cinéma ancien* (vieux).
Des jeunes mariés (depuis peu).	*Des mariés jeunes* (pas âgés).
Un seul homme (unique).	*Un homme seul* (sans amis, tout seul).
Ma propre voiture (la mienne).	*Une voiture propre* (bien lavée).
Mais : *remettre en mains propres* (au destinataire lui-même).	

15. LE GENRE ET LE NOMBRE
DES ADJECTIFS QUALIFICATIFS

1. Les marques du féminin

Premier cas. On forme le féminin en ajoutant un **-e** à l'adjectif masculin, mais la prononciation ne change pas.
— Le -e est ajouté à une voyelle finale :
  Joli/jolie. Aimé/aimée, ému/émue (anciens participes).
Attention à l'orthographe : *aigu/aiguë, ambigu/ambiguë, dû/due.*
— Le -e est ajouté à une consonne finale déjà prononcée :
  Mat/mate (finale -at). Banal/banale, civil/civile (finales -al, -il).
  Noir/noire. Meilleur/meilleure (finales -eur/eure).
Cette consonne est parfois doublée :
  Net/nette. Métis/métisse. Nul/nulle.
  Cruel/cruelle (finale -el). Pareil/ pareille, vermeil/vermeille.
— Autres modifications de l'écrit :
  Public/publique, turc/turque. Grec/grecque. Cher/chère.

Deuxième cas. On forme le féminin en ajoutant un **-e** à l'adjectif masculin et la prononciation change.
— Le -e fait prononcer la consonne finale (-t, -d, -s) :
  Petit/petite. Lent/lente (finale -ent). Dansant/dansante (-ant).
  Grand/grande, bavard/bavarde. Gris/grise, français/française.
Parfois la consonne finale est doublée à l'écrit :
  Gros/grosse (mais dispos/dispose). Gras/grasse (mais ras/rase).
  Épais/épaisse. Gentil/gentille. Muet/muette (finale -et; sauf : complète, concrète, désuète, discrète, inquiète, replète, secrète).
— Consonne finale prononcée et dernière voyelle prononcée autrement :
  Plein/pleine, fin/fine (mais malin/maligne, bénin/bénigne).
  Léger/légère. Idiot/idiote.
Parfois la consonne finale est doublée :
  Sot/sotte. Ancien/ancienne, bon/bonne (finales -en, -on).
— La consonne finale est modifiée (-c, -f, -x) :
  Blanc/blanche, sec/sèche. Neuf/neuve, bref/brève. Frais/fraîche.
  Heureux/heureuse (mais doux/douce, faux/fausse, roux/rousse).
— Une consonne est ajoutée pour former le féminin :
  Andalou/andalouse, favori/favorite, rigolo/rigolote.

Troisième cas. On forme le genre avec des **suffixes** :
  Rieur/rieuse. Évocateur/évocatrice. Enchanteur/enchanteresse.
  Victorieux, vainqueur/victorieuse. Hébreu/hébraïque.

Quatrième cas. Le féminin est formé sur une **forme ancienne** qui est employée devant les noms masculins commençant par une voyelle :
  Un nouveau livre, un nouvel air → une nouvelle chanson.
Autres cas : *beau, bel, belle ; vieux, vieil, vieille ; fou, fol, folle ; mou, mol, molle.*

2. Les adjectifs invariables en genre

Les adjectifs terminés par un **-e** au masculin sont invariables en genre :
Un travail utile/une machine utile; un pull rouge/une robe rouge.

– Adjectifs toujours masculins : *un pied bot, un nez aquilin, un air fat, un vent coulis, des yeux pers, un hareng saur.*
– Toujours féminins : *une femme enceinte ; rester bouche bée.*
– En ancien français, *grand* était invariable. Nous avons conservé :
Grand-mère, grand-père, grand-rue, à grand-peine, etc.

3. Les marques du pluriel

Cas général. Les adjectifs font leur pluriel en **-s** :
Utile/utiles. Joli/jolis, jolie/jolies. Fou/fous, folle/folles.

Deuxième cas. Pluriels irréguliers.
– Pluriels en **-x** : *beau/beaux, nouveau/nouveaux ; hébreu/hébreux.*
– Les adjectifs en **-al** ont un pluriel en **-aux** : *amical/amicaux.*
Exceptions en **-als** : *banals* (sauf dans : *fours banaux,* terme de la féodalité), *bancals, fatals, finals, glacials, natals, navals, tonals, atonals.*

Troisième cas. Les adjectifs en **-s** et **-x** sont invariables en nombre :
Bas, gros, heureux, doux, vieux.

4. Les adjectifs invariables en genre et en nombre

Les adjectifs de couleur provenant d'un nom sont invariables :
Une robe argent/azur/bronze/indigo/ivoire/paille/tabac/tango...
Cependant *écarlate, fauve, mauve, pourpre, rose* (etc.!) s'accordent.

> Tous les adjectifs de couleur sont invariables quand ils sont précisés par un nom ou un autre adjectif :
> *Une écharpe verte. Une écharpe vert olive/vert pomme/vert doré.*
> *Des robes bleues. Des robes bleu ciel/bleu pâle/bleu nuit.*

Mi, demi et *nu* sont invariables quand ils sont antéposés :
À mi-course. Une demi-heure. Être nu-tête, être nu-pieds.
Mais on écrit : *une heure et demie, être tête nue, être pieds nus.*

Les adjectifs employés comme adverbes dans des locutions verbales sont invariables :
Se faire fort de. Parler haut/bas/net/fort. Chanter faux/juste.
Tenir ferme. Couper court. Battre froid. Avoir beau.

> Sont également invariables en genre : *chic, disco, flagada, gaga, gnangnan, jojo, mastoc, mode, nature, pop, rétro, rococo, sexy, snob, standard, zinzin...*
> Mais l'accord en nombre est acceptable : *des musiques pops.*

16. LES PRONOMS PERSONNELS (1)

1. Les pronoms

Les pronoms n'ont pas un sens complet par eux-mêmes.

– Un **pronom représentant** «représente» un autre mot de l'énoncé. Il a le sens de cet autre mot :

Paul *a téléphoné.* **Il** *arrive demain.*   Il = Paul.

– Un **pronom de désignation** «désigne» un être ou une chose de la situation d'énonciation (p. 101-1) :

Je *reviendrai demain.*   Je = celui ou celle qui parle.

Quelqu'un *a téléphoné.*   Quelqu'un = une personne indéterminée.

> Il y a sept sortes de pronoms : les pronoms personnels, les pronoms démonstratifs (p. 34), les pronoms possessifs (p. 36), les pronoms interrogatifs et exclamatifs (p. 37), les pronoms numéraux (p. 37), les pronoms indéfinis (p. 38) et les pronoms relatifs (p. 90).

2. Les pronoms personnels

	Fonctions			Formes disjointes
	sujets	COD	COI, COS	
Singulier				
1re personne	je	me	me, moi	moi
2e personne	tu	te	te, toi	toi
3e personne	il	le	lui	lui
	elle	la	lui, elle	elle
indéfini	on	se	se, soi	soi
réfléchi		se	se (soi)	(soi)
Pluriel				
1re personne	nous	nous	nous	nous
2e personne	vous	vous	vous	vous
3e personne	ils	les	leur, eux	eux
	elles	les	leur, elles	elles
réfléchi		se	se	

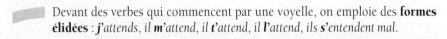

Devant des verbes qui commencent par une voyelle, on emploie des **formes élidées** : *j'attends, il m'attend, il t'attend, il l'attend, ils s'entendent mal.*

Les **formes disjointes** peuvent être séparées du verbe. Elles portent un accent oral tonique. Elles sont employées :

– après une préposition (p. 73-2) : *C'est* **à moi**. *Je viens* **pour toi**.

– après un présentatif (p. 108-2) : *C'est* **moi**. *Il y aura Anne et* **moi**.

– en position détachée (p. 109-3) : **Moi**, *je viens. Paul,* **lui**, *il a tout vu.*

Elles peuvent être renforcées par *même* : *Je finirai* **moi-même**.

3. Les valeurs des pronoms personnels

Les pronoms personnels de la **1re** et de la **2e personne** sont des **pronoms de désignation**. Ils désignent les personnes qui participent à la communication :
– **Je, me, moi** = celui ou celle qui parle ou qui écrit.
– **Tu, te, toi** = celui ou celle à qui «je» parle ou écrit.
– **Nous** = moi + une ou plusieurs autres personnes.
– **Vous** = toi + une ou plusieurs autres personnes.
= une seule personne dans le *vous* «de politesse».

Les pronoms personnels de la **3e personne** sont des pronoms **représentants**. Ils peuvent représenter :
– Un nom : **Paul** *a téléphoné.* **Il** *arrive demain.*

– Un adjectif : *Je suis très* **content**. *Je* **le** *suis vraiment !*

– Une proposition : — **Il est arrivé !** — *Bien sûr ! Tu ne* **le** *savais pas ?*

4. Les fonctions des pronoms personnels

Sujet du verbe		
Je viens.	**Tu** pars.	**Il** ou **elle** lit.
Nous venons.	**Vous** partez.	**Ils** ou **elles** lisent.

COD du verbe		
Exemple : regarder **quelqu'un**		
Jean **me** regarde.	Jean **te** regarde.	Jean **le** ou **la** regarde.
Jean **nous** regarde.	Jean **vous** regarde.	Jean **les** regarde.

COI du verbe (et COS)		
Exemple : parler **à quelqu'un**		
Agnès **me** parle.	Agnès **te** parle.	Agnès **lui** parle.
Agnès **nous** parle.	Agnès **vous** parle.	Agnès **leur** parle.
Exemple : parler **de quelqu'un**		
Agnès parle **de moi**.	Agnès parle **de toi**.	Agnès parle **de lui** ou **d'elle**.
Agnès parle **de nous**.	Agnès parle **de vous**.	Agnès parle **d'eux** ou **d'elles**.

Complément circonstanciel		
Jean vient **avec moi**.	Il part **avec toi**.	Il part **avec lui** ou **elle**.
Jean vient **avec nous**.	Il part **avec vous**.	Il part **avec eux** ou **avec elles**.

 au mot *leur!*

J'ai vu **leur** *ami. J'ai vu* **leurs** *amis.   Leur/leurs* : adjectifs possessifs.
GN = adjectif possessif (*leur*) + nom (*ami*). **Leurs** est le pluriel de **leur**.
Je **lui** *parle. Je* **leur** *parle. Lui/leur* : pronoms personnels compléments.
GV = verbe (*parler*) + COI (*à quelqu'un*). **Leur** est le pluriel de **lui**.

17. LES PRONOMS PERSONNELS (2)

1. Le pronom personnel indéfini *on*

On est un pronom personnel de sens indéfini. Il est toujours pronom sujet. Il renvoie toujours à un ou plusieurs êtres humains.

* *On* peut avoir le sens d'un pronom indéfini de la 3ᵉ personne.
  – Ou bien il renvoie à une ou plusieurs personnes indéterminées :
    On a déposé ce paquet pour toi. = Quelqu'un a déposé...
    On a repeint la façade de la mairie. = Des peintres ont repeint...
  – Ou bien il signifie « n'importe qui, tout le monde » :
    On a toujours besoin d'un plus petit que soi. = Tout le monde a besoin...

* *On* peut aussi avoir le sens d'autres pronoms personnels sujets.
  – *On* remplace *tu* ou *vous* pour marquer de l'ironie envers l'interlocuteur :
    On pense que j'ai tort ? On se croit le plus fort ?
  – Dans l'usage oral, *on* signifie « nous » :
    On est allés à la piscine. On a rencontré nos amis.

Après *on*, le verbe est toujours à la 3ᵉ personne du singulier. Mais le participe passé et l'attribut s'accordent avec le sens de *on* :
  Brigitte et moi, on est allées à la piscine. Paul et moi, on est malades.
Après *si*, *et*, *ou*, *où*, *que*, l'usage soutenu emploie *l'on* :
  Je trouve que l'on entend mieux la musique si l'on ferme les yeux.

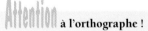 **à l'orthographe !**

La nuit, **on entend** *les hiboux.*	n de liaison = *on -n- entend.*
Le jour, **on n'entend pas** *les hiboux.*	n' de négation = *ne...pas.*

2. Les pronoms personnels *se* et *soi*

Se est employé comme pronom personnel complément de la 3ᵉ personne des **verbes pronominaux** (p. 46-1) :
  Il/elle **se** *lave. Ils/elles* **se** *lavent.*

* **Soi** a plusieurs emplois.
  – Il renvoie aux sujets formés du pronom *on* ou des pronoms indéfinis *personne*, *nul*, *quiconque*, *chacun*, *tel*, *tout le monde*, etc. :
    On *n'est jamais si bien servi que* **par soi-même**.
    Trop souvent, **chacun / on / tout le monde** *pense d'abord* **à soi**.
  – Il s'emploie quand il n'y a pas de sujet exprimé :
    Il ne faut pas toujours penser d'abord **à soi**.
  – Il peut être complément de nom ou de pronom :
    Le respect **de soi**. *Chacun* **pour soi**.

Dans l'usage soutenu, *soi* peut renvoyer à un sujet précis :
  Paul ne pense qu'à lui / qu'à **soi**.

3. Les pronoms adverbiaux *en* et *y*

* **En** renvoie à une chose (nom non animé).
  – *En* peut être COD et avoir une valeur partitive (p. 15-4) :
    – *Tu as mangé du fromage ? – Oui, j'en ai mangé tout à l'heure.*
  Dans cette construction, *en* est souvent lié à un mot de quantité :
    *J'en ai mangé **un peu / beaucoup**.*
  – *En* peut être COI de verbes construits avec *de* (*parler de, s'occuper de, se méfier de, se douter de,* etc.). Il signifie «de cela» :
    – *Tu as parlé des devoirs au professeur ? – Oui, je lui en ai parlé.*
  – *En* peut être complément d'un nom et avoir une valeur de possessif :
    C'est un bon livre mais j'en ai oublié le titre. = *J'ai oublié son titre.*

* **Y** renvoie à une chose (nom non animé).
  Y est COI de verbes construits avec *à* (*penser à, réfléchir à, tenir à, renoncer à,* etc.). Il signifie « à cela » :
    – *Tu penses à notre projet ? – Oui, j'y pense sans arrêt.*

* Dans l'usage courant, **en** et **y** renvoient aussi à une personne (nom animé) :
    – *Méfie-toi de ce bonhomme ! – Sois tranquille, je m'en méfie.*
    – *Tu penses à ta sœur? – Oui, j'y pense sans arrêt.*

  > Quand cela est possible, l'usage soutenu recommande de dire plutôt :
  > *Je me méfie de lui. Je pense à elle.*

* **En** et **y** renvoient à un lieu :
  – *En* signifie « de là » : – *Tu es allé à Toulouse ? – Oui. J'en reviens.*
  – *Y* signifie « là » : – *Tu iras à Grenoble ? – Oui. J'y vais demain.*

  > **En** et **y** figurent dans de nombreuses locutions où il n'est plus possible de préciser à quoi ils renvoient : *Il m'en veut. Il en va de même. Il s'en est pris à moi. Il en a été quitte pour la peur. Il m'en coûte de faire ça. Où veux-tu en venir ? Il y a... Ça y est. Il s'y prend bien, il s'y connaît...*

4. La place des pronoms personnels compléments

Un seul pronom

Le pronom personnel complément précède le verbe :
      Je le sais. Il lui a parlé. Elle y pense. Ne le fais pas ! Ne me regarde pas !
 Dans une phrase impérative de forme positive, le pronom complément suit le verbe :
      Fais-le ! Regarde-moi !   **Attention au trait d'union !**

Deux pronoms

Si les deux pronoms sont de la 3ᵉ personne, le COD précède le COS :
      Je le lui dirai. Ne le lui dis pas !
 Si un seul des pronoms est de la 3ᵉ personne, le COS précède le COD :
      Je te le dirai. Ne me le dis pas !
 Dans une phrase impérative de forme positive, l'ordre est toujours COD + COS :
      Dis-le-lui ! Dis-le-moi !   **Attention aux deux traits d'union !**
 Les pronoms *en* et *y* sont toujours en deuxième position :
      Je lui en parlerai. Je vous y conduis. Ne m'en parle pas ! Parle-m'en !

18. LES PRONOMS DÉMONSTRATIFS

1. Les formes des pronoms démonstratifs

	Singulier			Pluriel	
masculin	féminin	neutre		masculin	féminin
celui	celle	ce, c'		ceux	celles
celui-ci	celle-ci	ceci		ceux-ci	celles-ci
celui-là	celle-là	cela, ça		ceux-là	celles-là

2. Les formes simples : *celui, celle, ceux, celles*

Le pronom démonstratif simple est un **pronom représentant** (p. 30-1). Mais il ne peut pas s'employer tout seul : *Ton chandail est bleu et celui est vert.* (??) *Celui, celle, ceux* et *celles* doivent donc être **complétés** :

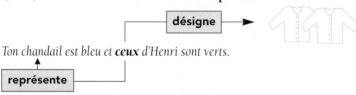

> désigne

*Ton chandail est bleu et **ceux** d'Henri sont verts.*

> représente

Le pronom démonstratif de forme simple **s'accorde en genre et en nombre** avec l'être ou la chose qui est montré. Exemple : *ceux* = plusieurs chandails.

Les constructions qui complètent le pronom démonstratif simple.
– Pronom + GP complément du pronom (p. 73-3) :
   *Ton chandail est bleu et **celui d'Henri** est vert.*
– Pronom + proposition subordonnée relative sans antécédent (p. 93-5) :
   *Ton chandail est bleu et **celui que j'ai acheté** est vert.*
   ***Ceux qui veulent parler** lèvent la main.*

3. Les formes composées : *celui-ci, celui-là, celle-ci, celle-là...*

Les pronoms démonstratifs composés ont deux emplois.
– Pronoms représentants :
   *Il se tourna vers sa sœur et il vit **celle-ci** lui sourire.*

– Pronoms qui représentent et désignent en même temps :
   *Les pêches sont mûres. Veux-tu **celle-ci** ou **celles-là** ?*

Le pronom démonstratif composé **s'accorde en genre et en nombre** avec l'être ou la chose qui est montré.
Exemple : *celle-ci* = une pêche ; *celles-là* = plusieurs pêches.

4. Le pronom démonstratif neutre *ce*

Le pronom démonstratif **ce** a plusieurs emplois :
– *Ce* + verbe *être* (p. 108-2) :
C'est mon ami. **Ce n'était pas** hier. **C'est Paul qui** m'a prêté son vélo.
– *Ce* + pronom relatif pour introduire une relative sans antécédent (p. 93) :
J'ai apporté **ce que** tu m'as demandé.
– Verbes *demander*, *savoir*, etc. + *ce* + discours rapporté indirect (p. 107) :
Je me demande **ce** qu'il fait. Il ne sait pas **ce** qu'il fait !

> L'usage familier emploie parfois *ça* à la place de *ce* : Ça n'est pas vrai.
> Usage soutenu : **Ce** n'est pas vrai. **Cela** n'est pas vrai.

4. Les pronoms démonstratifs neutres *ceci*, *cela*, *ça*

Ceci, **cela** et **ça** peuvent être employés comme pronoms représentants.
– Ils représentent un infinitif ou une proposition :
Marcher, **ça / cela** fait du bien.
Finis ton travail. Après **ça / cela**, tu pourras aller te promener.
– Quand ils représentent un nom, ils neutralisent son genre et son nombre :
Un vélo / Une bicyclette / Des patins... **ça / cela** me plairait.

Ceci, **cela** et **ça** peuvent aussi désigner une chose qu'on ne nomme pas :
Tiens moi **ceci / cela / ça**, s'il te plaît. = L'objet qu'on tient.
Tu as vu **ça** !   = Ce qui vient de se produire, un objet...

Quand **ça** renvoie à un être humain, le sens est toujours péjoratif :
C'est un chanteur, **ça** ?

5. L'opposition entre les formes en *-ci* et les formes en *-là*

Cela renvoie à ce qui est connu, à ce qui a déjà été dit. **Ceci** renvoie à ce qui va
être dit par la personne qui parle ou qui écrit :
Tu as raison. **Cela** dit, écoute-moi.   « Ceci dit » est moins correct.
Tu as raison. Mais écoute **ceci**.

Celui-ci renvoie à ce qui vient d'être nommé. **Celui-là** renvoie à ce qui a été
nommé avant :
Le Louvre et le Musée d'Orsay sont deux grands musées de Paris.

Celui-ci est sur la rive gauche de la Seine, **celui-là** est sur la rive droite.

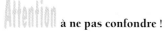 **à ne pas confondre !**

Ce n'est pas mon livre.	*Ce* : pronom démonstratif (sujet du verbe).
Ce livre est intéressant.	*Ce* : adjectif démonstratif (p. 16). Construction du GN = *ce* + nom.
Il **se** regarde dans le miroir	*Se* : pronom personnel complément (p. 32). GV = verbe *se regarder*.

19. LES PRONOMS POSSESSIFS

1. Les formes des pronoms possessifs

Le pronom possessif est formé de deux unités :
un article défini + un adjectif possessif tonique (p. 17-1).

Possesseur	Ce qui est possédé			
	Singulier		Pluriel	
	masculin	féminin	masculin	féminin
moi	le mien	la mienne	les miens	les miennes
toi	le tien	la tienne	les tiens	les tiennes
lui/elle	le sien	la sienne	les siens	les siennes
nous	le nôtre	la nôtre	les nôtres	
vous	le vôtre	la vôtre	les vôtres	
eux	le leur	la leur	les leurs	

2. Les emplois des pronoms possessifs

Le pronom possessif est à la fois un **pronom représentant** et un **pronom de désignation** (p. 30-1) :

*Agnès a une guitare qui a un meilleur son que **les miennes**.*

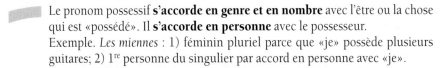
représente · désigne

Le pronom possessif **s'accorde en genre et en nombre** avec l'être ou la chose qui est «possédé». Il **s'accorde en personne** avec le possesseur.
Exemple. *Les miennes* : 1) féminin pluriel parce que «je» possède plusieurs guitares; 2) 1re personne du singulier par accord en personne avec «je».

> Certains emplois des pronoms possessifs ont été figés par l'usage et sont devenus des noms : *Les miens* (= ma famille). *Distinguer le tien du mien* (= ce qui appartient à chacun). *Faire des siennes* (= faire des bêtises). *Y mettre du sien, mettez-y du vôtre* (= faire un effort).

Attention **à ne pas confondre !**

Notre *ami.* **Votre** *maison.* *Notre* et *votre* : adjectifs possessifs.

Le nôtre. La vôtre.   Pronoms possessifs : ne pas oublier le **ô** !

Mon auto est bleue, **la sienne** *aussi.* = un objet, un possesseur.
     Par exemple : *la sienne* = l'auto de M. Dupont.

Mon auto est bleue, **la leur** *aussi.*   = un objet, plusieurs possesseurs.
     Par exemple : *la leur* = l'auto de M. et Mme Dupont.

Mon auto est bleue, **les leurs** *aussi.* = plusieurs objets, plusieurs possesseurs.
     Par exemple : *les leurs* = les deux autos de M. et Mme Dupont.

20. LES PRONOMS NUMÉRAUX

1. Les pronoms numéraux cardinaux

❋ Le pronom numéral cardinal est formé de l'adjectif numéral cardinal (p. 19) de même rang employé seul.

> *Il y a cent coureurs.* **Dix** *sont déjà arrivés.* **Trois** *ont abandonné.*

> Le pronom numéral cardinal représente (p. 30-1) une partie d'un ensemble. Il est souvent associé au pronom adverbial *en* (p. 33-3) :
>
> *Il y a cent coureurs. Il* **en** *est arrivé* **dix**. *J'en connais* **deux**.

2. Les pronoms numéraux ordinaux

❋ Le pronom numéral ordinal est formé d'un article défini et de l'adjectif numéral ordinal du même rang : *le premier, la première, les troisièmes.*

> Le pronom numéral ordinal représente un autre nom de l'énoncé :
>
> **Paul** *et Marc arrivent demain.* **Le premier** *ne reste que deux jours.*
>
> Il peut désigner un être ou une chose de la situation d'énonciation (p. 101-1) :
>
> *C'est* **le deuxième** *en partant de la gauche.*

21. LES PRONOMS INTERROGATIFS ET EXCLAMATIFS

1. Les pronoms interrogatifs

	Personne	**Chose**
Sujet	Qui est là ? Qui est-ce qui est là ?	Qu'est-ce qui est là ?
COD	Qui vois-tu ? Qui est-ce que tu vois ?	Que vois-tu ? Qu'est-ce que tu vois ?
Attribut	Qui es-tu ? Qui est-ce que tu es ?	Qu'est-ce que tu deviens ?
COI	À qui penses-tu ? À qui est-ce que tu penses ?	À quoi penses-tu ? À quoi est-ce que tu penses ?

❋ Les **formes composées** des pronoms relatifs (p. 91-7) sont également employées comme pronoms interrogatifs : *lequel, duquel, auquel.* Ce sont des pronoms représentants qui renvoient à un nom déjà cité.

> **Lequel** *préfères-tu ?* **Desquels** *parles-tu ?* **Auxquelles** *penses-tu ?*

> Les constructions orales : *Tu vois* **qui** *? Tu penses* **à qui / à quoi** *?* sont à éviter à l'écrit.

2. Les pronoms exclamatifs

❋ Du système des pronoms interrogatifs demeurent deux formes :

> **Que** *vas-tu penser de moi !* **Qu'est-ce que** *tu vas penser de moi !*

37

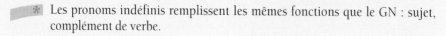

22. LES PRONOMS INDÉFINIS

❋ Les pronoms indéfinis remplissent les mêmes fonctions que le GN : sujet, complément de verbe.

❋ **Aucun/aucune, pas un/pas une, nul/nulle** expriment l'absence d'un être ou d'une chose. Ils sont donc toujours au singulier et ne s'accordent qu'en genre :

*J'ai acheté des disques mais je n'en ai encore écouté **aucun**.*

***Pas une** de mes amies n'est venue me voir. **Nul** n'est censé ignorer la loi.*

> ***D'aucuns*** est une construction ancienne :
>
> ***D'aucuns*** *(= « certains ») pensent que tu as tort.*

❋ **Personne** est invariable. Il exprime l'absence d'un ou de plusieurs êtres :

*Je n'ai vu **personne**. **Personne** d'entre nous ne viendra.*

❋ **Rien** est invariable. Il exprime l'absence d'une ou de plusieurs choses :

*Je ne vois **rien**. Il n'y a **rien** de changé ici.*

> • Du fait de leurs sens, *aucun, pas un, nul, personne* et *rien* s'emploient dans des contextes négatifs :
>
> *Il est entré **sans que personne** l'entende. Je **n'ai** vu **personne**.*
>
> Ils peuvent aussi s'employer seuls dans une réponse :
>
> — Tu vois quelque chose ? — **Rien**.
>
> • Une *personne* (= un être), un *rien* (= une chose sans importance) sont des noms.

❋ **Quelqu'un**, **n'importe qui**, **quiconque** sont invariables. Ils renvoient à un être indéterminé :

***Quelqu'un** est venu. **N'importe qui** peut entrer.*

*Je suis plus heureux que **quiconque** en apprenant cette nouvelle.*

❋ **Quelque chose**, **n'importe quoi** sont invariables. Ils renvoient à une chose indéterminée :

*J'ai **quelque chose** dans l'œil. Tu dis **n'importe quoi**.*

❋ **Un / une, l'un/l'une** renvoient à un être ou à une chose indéterminés :

***Un** de mes amis. **L'une** de mes amies. J'en ai vu **un**.*

❋ **N'importe lequel/laquelle/lesquels/lesquelles** renvoient à un ou plusieurs êtres ou choses indéterminés :

***N'importe lequel** de mes disques. **N'importe lesquelles** de mes amies.*

❋ **L'un(e)... l'autre/les un(e)s... les autres** renvoient à des êtres ou des choses qui sont mis en rapport. Ils peuvent être coordonnés :

*Ces deux films me plaisent. Ils sont réussis **l'un et l'autre**.*

*Anne et Brigitte viendront. **L'une** en train, **l'autre** en voiture.*

> Après la plupart des pronoms indéfinis, l'adjectif se construit avec *de* :
>
> *Personne / quelqu'un **de** connu. Quelque chose/rien **de** neuf. Aucun **de** lourd.*

* **Quelques-uns/quelques-unes, certains/certaines** renvoient à plusieurs êtres ou choses indéterminés. Ils sont donc au pluriel et ne varient qu'en genre :

    Quelques-unes *de tes amies ont téléphoné.*
    Tous ces arbres sont sains mais **certains** *doivent être taillés.*

* **Plusieurs**, **la plupart** sont invariables. Ils renvoient à plusieurs êtres ou choses indéterminés :

    Plusieurs *de tes amis sont là.* **La plupart** *arriveront demain.*
    La plupart *de ces arbres sont sains mais* **plusieurs** *doivent être taillés.*

* – **Autrui** renvoie à une personne indéterminée. **Autre chose** renvoie à une chose indéterminée. Ils sont invariables, et s'emploient comme complément :

    *Le bien d'***autrui**. *Donne-moi* **autre chose**, *s'il te plaît.*
    – **Autre/autres** est toujours précédé d'un déterminant (p. 14-1) :
    Donne-m'en **un autre**. *Il a peur* **des autres**.

* **Chacun/chacune** expriment la totalité être par être ou chose par chose. Ils n'ont donc pas de pluriel :

    Chacun *des élèves a reçu une convocation pour l'examen.*

* – **Tout** exprime la totalité d'un point de vue global. Il renvoie à une chose :

    Tout *est prêt.*   = l'ensemble vu globalement, sans détails.
    – **Tous/toutes** expriment la totalité du point de vue du nombre. Ils renvoient à des êtres ou à des choses :
    Tous *sont prêts.*   = l'ensemble vu personne par personne.

* **Le même/la même/les mêmes** renvoient à un ou plusieurs êtres ou choses qui sont identiques à d'autres êtres ou d'autres choses :

    Elle a acheté un chandail bleu. J'ai **le même**.
    Elle a acheté des chaussures de basket. J'ai **les mêmes**.

* – **Tel/telle/tels/telles** renvoient à des personnes indéterminées :

    Tel *est pris qui croyait prendre.*
    – *Un tel* sert de nom propre pour désigner un inconnu : *Monsieur* **Un tel**.

Attention **à ne pas confondre !**

Adjectif indéfini + nom (p. 20, p. 21)	Pronom indéfini
Aucun ami *n'est venu.*	**Aucun** *de mes amis n'est venu.*
Pas un ami *n'est venu.*	**Pas un** *de mes amis n'est venu.*
Certains amis *sont venus.*	**Certains** *de mes amis sont venus.*
Plusieurs amis *sont là.*	**Plusieurs** *de mes amis sont là.*
Il a plu **tout le dimanche**.	**Tout** *est fini. J'ai* **tout** *apporté.*
Il pleut **tous les jours**.	**Tous** *sont là. Je les connais* **tous**.
Il a acheté **le même vélo**.	*J'ai* **le même**.
Il viendra **tel jour** à **telle heure**.	**Tel** *dit blanc,* **tel** *dit noir.*
On n'entendait **nul bruit**.	**Nul** *n'est venu.*

(Mais : *un travail* **nul** ; *Ce travail est* **nul**. *Nul* : adjectif qualificatif)

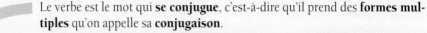

23. LE VERBE ET LE GROUPE VERBAL

1. Le verbe

Le verbe est le mot qui **se conjugue**, c'est-à-dire qu'il prend des **formes multiples** qu'on appelle sa **conjugaison**.
– son sens exprime une **action** (*chanter, courir*) ou un **état** (*être, paraître*) ;
– la conjugaison permet de situer cette action ou cet état dans le **temps**.

> Exemple : Le nom *course* exprime une action. Mais il ne comporte pas d'informations sur le temps : *la course, une course, la deuxième course...*
> Le verbe *courir* exprime la même action. Mais, quand il est conjugué, il situe cette action dans le temps : *il court, il a couru, il courra...*

2. La conjugaison du verbe

Les différentes formes de la conjugaison d'un verbe comportent des marques qui donnent des informations sur la personne, le mode, le temps et l'aspect.

La 1re **personne** et la 2e personne désignent les êtres qui participent à la communication. La 3e personne représente les êtres et les choses dont on parle (p. 31-3).

Les **modes** mettent à la disposition de l'énonciateur (p. 101-1) des temps et des personnes plus ou moins nombreux. On distingue les modes personnels et les modes non personnels (p. 42-2).

Les **temps** situent l'action avant, pendant ou après le moment de l'énonciation (p. 101-1). On distingue les temps simples et les temps composés (p. 42-3).

* L'**aspect** indique si l'action est en train de s'accomplir, accomplie, sur le point de commencer, ou si elle vient de finir (p. 47).

3. Le Groupe Verbal (GV) dans la proposition

Les deux constituants indispensables de la proposition sont le **groupe du sujet** et le **groupe verbal**. La relation qui les unit s'appelle la fonction sujet (p. 76) :

Paul	*joue au tennis.*	*Le chat*	*dort.*
Groupe du sujet	GV	Groupe du sujet	GV

Le **complément circonstanciel** est un constituant facultatif (p. 81) :
*Paul joue au tennis **tous les mercredis**. Le chat dort **sur le mur**.*

> Quand le verbe est au mode impératif, le sujet n'est pas exprimé (p. 60).
> Une phrase sans verbe ne forme pas une proposition (p. 74-3).

4. La construction du Groupe Verbal (GV)

 Le verbe est le constituant indispensable du groupe verbal (GV).

> L'ellipse du verbe est possible, mais il faut que l'énoncé reste très clair :
> *Paul joue au tennis, Agnès, au basket.*

GV = Verbe sans complément de verbe	
GV = V (p. 82-1)	*Le vent **souffle**.*

GV = Verbe + complément d'objet	
GV = V + COD (p. 83)	*Le vent **a abattu un arbre**.*
GV = V + COI (p. 84)	*Je **rêve de ce voyage**.*
La construction V + COD peut être mise à la voix passive. Le verbe au passif peut être suivi par un complément d'agent (p. 44) : *Un arbre a été abattu **par le vent**.*	

GV = Verbe + deux compléments d'objet	
GV = V + COD + COS (p. 85)	*Agnès **a rendu son devoir au professeur**.*
GV = V + COI + COS	*Agnès **a parlé du devoir au professeur**.*

GV = Verbe + complément de verbe	
GV = V + comp. direct de verbe (p. 84)	*Ce pain **coûte 5 F**.*
GV = V + comp. indirect de verbe	*Il **va à Lyon**.*

GV = Verbe + attribut	
GV = V + attribut du sujet (p. 86)	*Paul **est malade**.*
GV = V + COD + attribut du COD (p. 87)	*Je **trouve** ce film **intéressant**.*

Autre GV	
GV = V + adverbe comp. de verbe (p. 68-1)	*Elle **court vite**.*

- **Le verbe s'accorde avec le sujet** (voir p. 76-1, p. 77-Attention !).
- **Le sens de beaucoup de verbes change selon la construction du GV.**

  *Malgré la crue, la digue **a tenu**.*   = *résister, ne pas céder.*
  *Jean **tient son sac**.*   = *serrer dans sa main.*
  *Jean **tient à son sac**.*   = *vouloir conserver.*
  *Jean **tient de son père**.*   = *ressembler à quelqu'un.*

24. LA CONJUGAISON

1. Le radical et la terminaison

Les formes verbales des temps simples se composent de deux parties :
– Un **radical** qui porte le sens du verbe.
– Une **terminaison** qui indique la personne, le mode et le temps.

– La conjugaison d'un verbe peut être construite sur un seul radical :
Chanter, je chante, nous chantons, je chantais, nous chantions, j'ai chanté...
– La conjugaison de nombreux verbes est construite sur plusieurs radicaux :
Voir, je vois, nous voyons, je verrai, je vis...

2. Les modes personnels et les modes non personnels

Les **modes personnels** donnent le choix entre différentes personnes.
– L'**indicatif** est le plus complet : 10 temps avec 6 personnes chacun.
– Le **subjonctif** comporte 4 temps de 6 personnes chacun.
– L'**impératif** ne comporte que 2 temps de 3 personnes chacun.

Les **modes non personnels** n'ont pas de personnes.
Ces modes sont l'**infinitif**, le **participe présent**, le **gérondif** et le **participe passé**.

3. Les temps simples et les temps composés

– Le **temps simple** comporte le radical et la terminaison : *Je chante. Je partais.*
– Le **temps composé** comporte l'**auxiliaire** *avoir* ou *être* et le **participe passé** du verbe conjugué : *J'ai chanté. Je suis parti.*

> Les temps surcomposés sont formés avec l'auxiliaire *avoir* ajouté au temps composé normal. Le seul temps courant est le passé composé surcomposé :
> *Quand **j'ai été parti**, il a téléphoné.*

– L'**auxiliaire *avoir*** s'emploie avec les verbes *être* et *avoir*, les verbes transitifs et de nombreux verbes intransitifs (p. 82) : *aboutir, chanceler, courir, disparaître, dormir, fuir, marcher, nager, perdre, vivre...*
– L'**auxiliaire *être*** s'emploie avec les verbes pronominaux (p. 46) et les autres verbes intransitifs : *aller, arriver, décéder, entrer, mourir, naître, partir, rester, sortir, tomber, venir...*

4. Les groupes

On distingue traditionnellement trois groupes de conjugaisons :
– **Premier groupe** : verbes dont l'infinitif se termine par -ER (sauf ALLER). Conjugaison type : CHANTER (p. 114-115).
– **Deuxième groupe** : verbes dont l'infinitif se termine par -IR et qui font leur participe présent en -ISSANT. Conjugaison type : FINIR (p. 116).
– **Troisième groupe** : tous les autres verbes (p. 117 à 164).

5. Les verbes défectifs

Les verbes défectifs sont des verbes qui ne sont pas employés à toutes les personnes, à tous les temps ni à tous les modes.

Accroire – S'emploie à l'infinitif, dans une formule archaïque : *Il a voulu m'en faire accroire* (= il a voulu me faire croire une chose fausse, me tromper).

Braire – S'emploie à l'infinitif. À la 3e personne du singulier du présent : *L'âne brait*, de l'imparfait : *Il brayait*, et du futur : *Il braira.*

Bruire – S'emploie à l'infinitif. À la 3e personne du présent : *Le vent bruit*, et de l'imparfait : *Le vent bruissait*. S'emploie aussi au participe présent : *J'entendais le vent bruissant dans le feuillage.*

Choir – Verbe ancien, remplacé par *tomber*. Emplois archaïques : *Il choit, il chut* (le *t* ne se prononce pas !). *Laisser choir.*

Déchoir – Seul usage courant, celui du participe passé : *Le champion est déchu de son titre*. Emploi archaïque : *sans déchoir.*

Clore, enclore – Conjugaison difficile : *Je clos, tu clos, il clôt, nous closons, vous closez, ils closent ; j'enclos*. Pas d'imparfait ni de passé simple. Usage plus fréquent des temps composés : *J'ai clos, j'avais clos, j'aurai clos ; j'ai enclos...*

Éclore – Même conjugaison que *clore* mais uniquement aux 3e personnes du singulier et du pluriel : *Cette fleur éclôt au printemps.*

Faillir – Ce verbe défectif a un usage courant aux temps composés :
J'ai failli le voir, tu avais failli le rencontrer. S'emploie aussi au passé simple : *Je faillis le voir, tu faillis, il faillit, nous faillîmes, vous faillîtes, ils faillirent.*

Férir – Verbe ancien, remplacé par *frapper*. Ne restent que les expressions *sans coup férir* (= sans difficulté, sans combattre) et *être féru de quelque chose* (= être amateur de quelque chose).

Frire – S'emploie à l'infinitif. Pour les autres modes et temps, on emploie la locution *faire frire* : *Je fais frire des poissons.*

Gésir – Verbe ancien qui signifie « être étendu immobile ». Ne demeurent que quelques emplois : *La victime gît sur le sol, ils gisent ; je gisais, tu gisais, il gisait, nous gisions, vous gisiez, ils gisaient ; gisant.* Et la formule : *Ci-gît...* (= ici est enterré...).

Ouïr – Verbe ancien, remplacé par *entendre*. Ne demeurent que : *J'ai appris la nouvelle par ouï-dire* (= par des gens qui en parlaient, par la rumeur), et les impératifs archaïques : *Oyons ! Oyez !*

Paître – Quelques emplois : *La brebis paît, paissait, paîtra.*

Poindre – Seuls emplois : *Le jour point, poindra* (= commence de paraître).

Promouvoir – Ne s'emploie facilement qu'à l'infinitif : *Il faudra promouvoir cette marque* (= faire connaître plus), et au participe passé : *Il est promu responsable du service* (= nommé à un poste plus élevé).

Quérir – Verbe ancien, remplacé par *chercher*. Ne demeure que l'expression *aller quérir de l'aide.*

Reclure – Verbe ancien. Seul emploi : *Il est reclus* (= isolé, enfermé).

Renaître – N'a pas de participe passé, donc pas de temps composés.

Seoir – Verbe ancien, remplacé par *convenir*. N'est plus utilisé que dans l'expression archaïque : *Cela te sied bien* (= te va bien).

Traire – Pas de passé simple. Les vaches ont refusé !

25. LA VOIX ACTIVE ET LA VOIX PASSIVE

1. La voix

 La **voix** est un effet de sens produit par une **construction syntaxique** particulière.
  – La **voix active** place en tête l'être ou la chose qui fait l'action :
  Le vent secoue les arbres. Un train passe toutes les deux heures.
  – La **voix passive** place en tête l'être ou la chose sur qui porte l'action :
  Les arbres sont secoués par le vent.
  – La **voix impersonnelle** place en tête l'action elle-même :
  Il passe un train toutes les deux heures.

2. La voix active et la voix passive

 Le passage de la **voix active** à la **voix passive** s'applique uniquement aux **verbes transitifs directs** (p. 82-2).

Voix active	*Le vent* sujet	*secoue* verbe	*les arbres.* COD
Voix passive	*Les arbres* sujet	*sont secoués* verbe	*par le vent.* AGENT

Transformations réalisées :
  – Le sujet de la voix active devient le complément d'agent de la voix passive.
  – Le COD de la voix active devient le sujet de la voix passive.
  – On ajoute le verbe *être* en le mettant au même temps que le verbe actif.
  – Le verbe actif est mis au participe passé : *secoue* → ***sont secoués***.

 Le **complément d'agent** est introduit par la préposition *par*.

> • Dans l'usage soutenu, le complément d'agent du verbe passif est parfois introduit par la préposition *de* : *Paul est aimé par/de tous ses amis.*
> • Le complément d'agent peut être absent : *Les arbres sont secoués.*
> • Quand le sujet de la voix active est *on*, il n'y a pas de complément d'agent au passif : *On te regarde.* → ***Tu es regardé.***

3. Le pronominal passif

 ✳ La voix passive peut aussi être exprimée par la forme pronominale (46-1 et 3). La construction est à la 3ᵉ personne et sans complément d'agent :
  On joue cette musique partout. → ***Cette musique se joue partout.***

 à ne pas confondre le passé composé et le passif !
L'arbre est tombé.   Verbe *tomber* au passé composé. Voix active.
    On peut retrouver le présent : *L'arbre tombe.*
L'arbre est secoué par le vent.   Voix passive au présent.
    On peut retrouver la voix active : *Le vent secoue l'arbre.*

26. LA VOIX IMPERSONNELLE • LE VERBE IMPERSONNEL

1. La voix impersonnelle

❋ La **voix impersonnelle** permet de donner la première place à l'action. Elle est exprimée par le verbe toujours précédé du pronom **il** :

Voix active	*Deux trains* sujet	*arrivent.* verbe
Voix impersonnelle	*Il* *arrive* sujet grammatical verbe	*deux trains.* sujet logique

❋ Le pronom *il* n'a pas de sens. Ce n'est pas un pronom représentant (p. 30). C'est simplement une **marque grammaticale** de la 3ᵉ personne du singulier. Le verbe s'accorde avec lui.
On dit que *il* est le **sujet grammatical** du verbe (p. 76-2).

❋ Le sujet de la voix active est maintenant placé après le verbe.
Mais le verbe ne s'accorde plus avec lui.
On dit que *deux trains* est le **sujet logique** du verbe (p. 76-2).

> La voix impersonnelle s'applique à trois constructions.
> • Avec des verbes intransitifs (p. 82-1) :
>   *Un train passe.* → **Il passe un train**.
> • Avec des verbes pronominaux (p. 46) :
>   *Deux incidents se sont produits.* → **Il s'est produit deux incidents**.
> • Avec certaines constructions à la voix passive :
>   *Deux clés ont été perdues.* → **Il a été perdu deux clés**.

2. Les verbes impersonnels

Les **verbes impersonnels** sont des verbes qui s'emploient seulement avec le pronom *il*, marque grammaticale de la 3ᵉ personne du singulier.

Quelques verbes sont **toujours impersonnels**.
– Verbe *falloir* : *Il faut, il fallait, il fallut, il faudra, il a fallu, il faudrait...*
– Verbes météorologiques : *Il pleut. Il neige. Il gèle. Il tonne. Etc.*

D'autres verbes ont un emploi personnel et un **emploi impersonnel** :
avoir (il y a longtemps), être (il était une fois), faire (il fait beau).

Attention à ne pas confondre la voix impersonnelle et les verbes impersonnels !
• *Il est arrivé un accident. Il est préférable d'être à l'heure.*   Voix impersonnelle.
   On peut retrouver la voix active :
   Un accident est arrivé. Être à l'heure est préférable.
• *Il pleut. Il faut partir. Il fait froid.*   Verbes impersonnels.
   Il n'y a pas d'autres constructions possibles.
• *Il est des gens pour dire le contraire.*   Présentatif de l'usage soutenu (p. 108-2).

27. LA FORME PRONOMINALE • LE VERBE PRONOMINAL

1. La forme pronominale

La forme pronominale comporte un sujet, un verbe et un pronom personnel complément qui est **de la même personne** que le sujet.
Ce pronom appartient à la série *me, te, se, nous, vous, se* (p. 30-2) :

Je me lave	*Nous nous lavons*
Tu te laves	*Vous vous lavez*
Il ou elle se lave	*Ils ou elles se lavent.*

> Les temps composés de la forme pronominale sont formés avec le verbe auxiliaire *être* :
> *Je me suis lavé(e)*   *Nous nous sommes lavé(e)s*
> *Tu t'es lavé(e)*   *Vous vous êtes lavé(e)s*
> *Il ou elle s'est lavé(e)*   *Ils ou elles se sont lavé(e)s.*

2. Les verbes «essentiellement» pronominaux

Les verbes « essentiellement » pronominaux sont des verbes qui sont **toujours** employés à la forme pronominale :
s'abstenir, s'enfuir, s'évader, s'évanouir, se méfier, se souvenir...

3. Les verbes employés à la forme pronominale

Les autres verbes pronominaux ont un emploi non pronominal et un **emploi à la forme pronominale :**

Guillaume regarde le paysage.	*Regarder* : emploi non pronominal.
Guillaume se regarde dans la glace.	*Se regarder* : forme pronominale.

Les **verbes pronominaux réfléchis** peuvent être complétés par *moi-même, toi-même, lui-même*, etc. Ils ont un sujet animé au singulier ou au pluriel.
Paul se lave. Brigitte s'est cassé le bras.

Les **verbes pronominaux réciproques** peuvent être complétés par *réciproquement, l'un l'autre*. Ils ont un sujet animé au pluriel.
Ils se sont rencontrés en vacances. Ils s'écrivent régulièrement.
Les joueurs des deux équipes se sont serré la main.

Les **verbes pronominaux neutres** ne sont ni réfléchis ni réciproques. Chaque verbe a un sens particulier :
Je me doutais de sa réponse. Se douter de = « deviner ».
Je m'attendais à son refus. S'attendre à = « penser que cela va se produire ».

> Nous avons vu que la forme pronominale permet d'exprimer le passif pour certains verbes transitifs directs (p. 44-3) :
> *On arrose cette plante souvent.* → *Cette plante **s'arrose** souvent.*

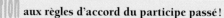 **aux règles d'accord du participe passé !**
Pour les verbes à la forme pronominale, voir p. 65-2.

28. L'ASPECT

1. Définition

* L'aspect dépend du moment que l'énonciateur (p.101-1) choisit pour décrire le déroulement d'une action ou d'un état : au début, pendant, juste après, après.

* On distingue essentiellement l'**aspect non accompli** et l'**aspect accompli**, qui sont exprimés par les temps verbaux.
Les autres aspects sont exprimés par des constructions particulières.

2. L'aspect non accompli et l'aspect accompli

* Les **temps simples** (sauf le passé simple) expriment l'**aspect non accompli**.
L'action (ou l'état) est décrite en train de se dérouler ; elle n'est pas achevée :
Je chante. Il pleuvait. Arrive à midi ! Il faut finir ce travail.

Le passé simple exprime l'aspect accompli (p. 52).

* Les **temps composés** expriment l'**aspect accompli**. L'action (ou l'état) est décrite après son déroulement ; elle est achevée :
J'ai chanté. Il avait plu. Sois arrivé à midi ! Il faut avoir fini ce travail.

3. Les autres aspects

* Les autres aspects sont exprimés par des **locutions verbales**.
  – *Être en train de* + infinitif :
    Il est en train de chanter. Il était en train de pleuvoir.
  – *Commencer à, se mettre à, entreprendre de* + infinitif :
    Il commence à chanter. Il se mit à pleuvoir.
  – *Finir de, cesser de, achever de* + infinitif :
    Il finit de chanter. Il cessa de pleuvoir.

4. Passé immédiat et futur proche

* La périphrase *venir de* + infinitif exprime un **passé immédiat** :
    Il vient de chanter. Il vient de pleuvoir.
La périphrase *aller* + infinitif exprime un **futur proche** :
    Il va chanter. Il va pleuvoir.

29. LE PRÉSENT DE L'INDICATIF

1. Le moment de l'énonciation et le présent de l'indicatif

Le **moment de l'énonciation** est le moment où l'énoncé est dit ou écrit (p. 101-1).
Dans nos schémas, ce moment est indiqué «moment zéro».

———— Passé ———— **0** ———— Avenir ————▶

Le **présent de l'indicatif** relie l'action ou l'état au **moment de l'énonciation**. Mais il n'a pas de signification temporelle précise.
– Il exprime l'**aspect non accompli**. C'est-à-dire que l'action ou l'état ne sont pas achevés au moment de l'énonciation : *Elle dort. Il part.*
– Mais il **ne précise pas la durée** de l'action ou de l'état. Celle-ci est indiquée par un complément de temps ou par la situation d'énonciation.

> L'aspect accompli est exprimé par le passé composé (p. 54-1) :
> *Elle a dormi. Il est parti.*

2. Le présent de l'indicatif : expression d'un présent

Une phrase au **présent immédiat** exprime une action ou un état qui ont lieu au moment de l'énonciation. On peut ajouter *en ce moment, maintenant* :

*Le train **arrive**.* ———————— **0** ————▶

Une phrase au **présent étendu** exprime une durée dont les limites doivent être précisées par un complément de temps.
– Du passé à maintenant :

*Je **suis** dans ce collège **depuis deux ans**.* ———— **0** ————▶

– De maintenant au futur :

*Je **reste encore deux mois**.* ———— **0** ————▶

– Répétition :

*Il **pleut tous les soirs**.* ———— **0** ————▶

Une phrase au **présent permanent** exprime un fait toujours vérifié.

*Deux et deux **font** quatre.* ———— **0** ————▶

3. Le présent de l'indicatif : projection dans l'avenir

Un complément de temps permet à une phrase au présent d'exprimer un avenir :
*L'an prochain/dans deux mois/demain, je **vais** en Italie.*

> Le présent donne l'impression qu'on est déjà l'an prochain.
> Le futur laisse l'action dans l'avenir : *L'an prochain, j'irai en Italie.*

4. Le présent de l'indicatif : retour dans le passé

Un complément de temps permet à une phrase au présent d'exprimer un passé proche :

*Je **quitte** Paul à l'instant/il y a une minute.*

Quand un récit d'événements passés est entièrement écrit au présent, on appelle ce présent le **présent historique** :

*Depuis plusieurs jours les gens **expriment** leur colère contre le roi. On **dit** que des soldats étrangers **sont** autour de Paris. Le 14 juillet 1789, le peuple de Paris **prend** la Bastille. La Révolution **commence**.*

Quand un récit d'événements passés est écrit au passé et qu'on emploie soudain le présent pour décrire l'un des événements, on appelle ce présent le **présent de narration** :

*Depuis plusieurs jours les gens exprimaient leur colère contre le roi. On disait que des soldats étrangers étaient autour de Paris. Le 14 juillet 1789, le peuple de Paris **prend** la Bastille. La Révolution commençait.*

Dans les deux cas, le présent nous place au cœur de l'action. Celle-ci cesse d'être passée. On a l'impression que le moment de l'énonciation (p. 101-1) est déplacé dans le passé. On est projeté dans l'actualité de ce passé.

Attention à la conjugaison (tableaux p. 112 à 164) !

• La **1re personne du singulier** a plusieurs terminaisons :

-e : Verbes du 1er groupe (*je chante, je nettoie, je crie*, etc.). Quelques verbes du 3e groupe (*je cueille, j'ouvre, je souffre, j'offre, je tressaille*, etc.).

-s : Verbes du 2e groupe (*je finis*). Être : *je suis*. Verbes du 3e groupe (*je vais, j'attends, je conduis, je connais, je cours, je dois, je dis, je mets*, etc.).

-x : *je peux, je vaux, je veux*.

Avoir : *j'ai*.

• La **2e personne du singulier** est toujours terminée par **-s**.

• La **3e personne du singulier** a plusieurs terminaisons :

-e : Verbes du 1er groupe (*il chante, il nettoie, il crie*). Quelques verbes du 3e groupe (*il cueille, il ouvre, il souffre, il offre, il tressaille*).

-t : Verbes du 2e groupe (*il finit*). Être : *il est*. Verbes du 3e groupe (*il conduit, il connaît, il court, il doit, il dit, il dort, il met*, etc).

-d : Verbes avec un *d* dans le radical (*il attend, il comprend, il coud, il prend*).

-a : *il a, il va*.

-c : *il vainc, il convainc*.

• La **1re personne du pluriel** est terminée par **-ons** (sauf *nous sommes*).

• La **2e personne du pluriel** est terminée par **-ez** (sauf *vous êtes, vous faites, vous dites*).

• La **3e personne du pluriel** est terminée par **-ent** (sauf *ils ont, ils sont, ils font, ils vont*).

30. L'IMPARFAIT DE L'INDICATIF

1. Valeur générale de l'imparfait de l'indicatif

– L'imparfait de l'indicatif situe l'action ou l'état **dans le passé**.

– Il exprime l'**aspect non accompli**. L'action ou l'état décrit par le verbe n'est pas achevé au moment du passé qui sert de repère (r) :

Ce matin-là, il **pleuvait**. ——————————— **r** —— **0** ————————▶

> L'aspect accompli est exprimé par le plus-que-parfait (p. 55-1) : *Il avait plu.*
> Ou par le passé composé (p. 54-1) : *Il a plu.*

2. L'imparfait de l'indicatif : expression du passé

L'**imparfait étendu** exprime une durée non limitée dans le passé. La durée exacte peut être précisée par un complément de temps :

*Il **neigeait depuis deux jours**.* ——————— **r** —— **0** ————————▶

L'**imparfait de répétition** est accompagné par un complément de temps qui exprime la répétition :

*Il **pleuvait tous les soirs**.* ——— — — — **r** —— **0** ——▶

3. Les emplois de l'imparfait dans un récit

Plusieurs verbes à l'imparfait décrivent des actions ou des états qui **ont lieu en même temps**, qui se superposent dans le temps :

*Le vent **soufflait**. Les vagues **éclataient** sur la digue. Les mouettes **hurlaient**.*

——————— **r** ———————————— **0** ————————▶
  soufflaient
  éclataient
  hurlaient

> Des verbes au passé simple expriment des actions qui se succèdent (p. 52-2).

– L'**imparfait** est employé pour décrire un paysage ou une situation, pour faire un commentaire. Il permet de dessiner une sorte de **décor**.

– Le **passé simple** exprime un **événement** qui se détache sur ce décor :

*Le vent **soufflait**. Les vagues **éclataient** avec violence contre la digue. Les mouettes **hurlaient**. Soudain, une sirène **retentit**.*

> L'événement peut aussi être raconté au passé composé (p. 54-3) :
> Je **discutais** avec Paul depuis cinq minutes quand l'orage **a éclaté**.

4. L'imparfait de l'indicatif : expression d'une modalité de sens

※ L'imparfait est employé dans des constructions qui présentent l'action ou l'état selon un point de vue particulier. Ce n'est pas l'imparfait lui-même qui exprime ce point de vue, c'est l'ensemble de l'énoncé.

Dans ces emplois, il peut exprimer un moment passé ou un moment présent.

※ L'**imparfait de politesse** permet d'exprimer une demande sans paraître donner un ordre à l'interlocuteur:

*Je **voulais**/Je **venais**/Je **passais** vous demander un service.*

> L'emploi du présent est plus direct, plus autoritaire :
> *Je veux/Je viens vous demander un service.*
> La politesse s'exprime aussi dans l'emploi du conditionnel présent (p. 55-3)
> ou du conditionnel passé (p. 56-5).

※ L'imparfait exprime un **présent irréel** quand il est employé dans une proposition subordonnée de condition introduite par *si* (p. 96-1) :

*Si **j'avais** le temps, je jouerais au basket tous les jours.*

※ L'imparfait peut aussi exprimer une **action passée irréelle**, un passé qui n'a pas eu lieu :

*Sans ton avertissement je me **cognais** dans l'arbre !*
*Un pas de plus et je **tombais**.*

5. L'imparfait dans le discours rapporté indirect

※ Si la proposition principale est au passé, le présent du discours rapporté direct devient souvent un imparfait dans le discours rapporté indirect (p. 107-3) :

Il disait : «Je suis malade.» → *Il disait qu'il **était** malade.*
Il a dit : «Je viens lundi.» → *Il a dit qu'il **venait** lundi.*

 à la conjugaison (tableaux p. 112 à 164) !

• La conjugaison de l'imparfait de l'indicatif est très régulière. Tous les verbes ont les mêmes terminaisons : *-ais, -ais, -ait, -ions, -iez, -aient.*

• Attention aux verbes qui ont un *-i-* ou un *-y-* à la fin de leur radical !
Le *-i-* des terminaisons en *-ions* et *-iez* s'ajoute au *-y-* ou au *-i-* du radical pour distinguer le présent et l'imparfait.

Présent	Imparfait
Nous balayons, vous balayez	*Nous balayions, vous balayiez*
Nous nettoyons, vous nettoyez	*Nous nettoyions, vous nettoyiez*
Nous crions, vous criez	*Nous criions, vous criiez*
Nous étudions, vous étudiez	*Nous étudiions, vous étudiiez*
Nous croyons, vous croyez	*Nous croyions, vous croyiez*
Nous cueillons, vous cueillez	*Nous cueillions, vous cueilliez*
Nous voyons, vous voyez	*Nous voyions, vous voyiez*
Nous rions, vous riez	*Nous riions, vous riiez*

31. LE PASSÉ SIMPLE DE L'INDICATIF

1. Le passé simple : expression d'un passé

– Le passé simple situe l'action ou l'état **dans le passé**.
– Il exprime l'**aspect accompli**. La durée est exprimée en bloc, d'un seul coup, de son commencement à sa fin :

*Il **s'allongea** sur l'herbe et **dormit**.* ⟶ ─┤ ├─┤ ├─────── **0** ⟶

La durée exacte peut être précisée par un complément de temps :
*Il **dormit pendant plus d'une heure**/de midi à une heure.*

Le **passé simple de répétition** est accompagné par un complément qui indique la répétition :
*Il **travailla tous les soirs**.*

> • On dit parfois que l'**imparfait** exprime une action longue. En fait, l'action peut être brève, mais l'imparfait donne une impression de longueur parce qu'il exprime l'aspect non accompli : *Une heure sonnait au clocher de l'église.*
> • On dit parfois que le **passé simple** exprime une action brève. En fait, l'action peut être longue, mais le passé simple donne une impression de brièveté parce qu'il exprime l'aspect accompli. L'action est exprimée d'un coup, de son début à sa fin :
> *Les dinosaures vécurent plus de cent millions d'années.*

2. Les emplois du passé simple

En français moderne, le passé simple n'est employé que dans les récits écrits.
*Le vent **se leva**. Un premier éclair **zébra** le ciel et le tonnerre **gronda**.*

> Dans l'usage courant, oral et écrit, on emploie le passé composé (p. 54-2) :
> *Le vent **s'est levé**. Un premier éclair **a zébré** le ciel et le tonnerre **a grondé**.*

Dans un récit écrit, quand plusieurs verbes au passé simple se suivent, ils décrivent des actions ou des états qui **se succèdent** :
*Le vent **se leva**. Un premier éclair **zébra** le ciel et le tonnerre **gronda**.*

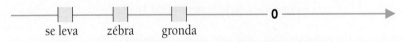

─┤ ├─────┤ ├─────┤ ├─────── **0** ───────────── ⟶
se leva   zébra   gronda

> Le même effet peut être obtenu avec le passé composé : *Le vent s'est levé...* (p. 54-3)
> L'imparfait exprime des actions qui ont lieu en même temps (p. 50-3).

Attention à la conjugaison (tableaux p. 112 à 164) !

• Verbes du premier groupe et verbe *aller* : *je chantai, tu chantas, il chanta, nous chantâmes, vous chantâtes, ils chantèrent ; j'allai, tu allas, il alla...*

• Les terminaisons des autres verbes sont : **-s, -s, -t, -^mes, -^tes, -rent.**
Elle sont précédées par trois voyelles :
-u (*je fus, nous fûmes*), **-i** (*je vis, nous vîmes*), **-in** (*je vins, nous vînmes*).
Attention à l'**accent circonflexe** aux deux premières personnes du pluriel.

32. LE FUTUR SIMPLE DE L'INDICATIF

1. Le futur simple de l'indicatif : expression de l'avenir

– Le futur simple de l'indicatif situe l'action ou l'état **dans l'avenir**.
– Il exprime l'**aspect non accompli**. C'est-à-dire que l'action n'est pas achevée au moment de l'avenir où elle est située :

Il **partira** demain. ———————— 0 ———————→

Le futur antérieur (p. 55-3) exprime l'aspect accompli : *Il sera parti demain.*

Le futur simple ne donne pas d'indication sur les limites de la durée de l'action. Cette indication peut être donnée par un complément de temps :

Il **restera deux ans** à Genève. ———————— 0 ———————→

Le **futur simple de répétition** est accompagné par un complément de temps qui exprime la répétition :
Je **jouerai** au rugby **tous les deux jours**.

2. Le futur simple : expression d'une modalité de sens

Le futur est employé dans des constructions qui présentent l'action ou l'état selon un point de vue particulier. Ce n'est pas le futur lui-même qui exprime ce point de vue, c'est l'ensemble de l'énoncé.

Futur d'ordre. Sa valeur est moins autoritaire que l'impératif :
*Les coureurs **se présenteront** au contrôle dix minutes avant le départ.*

Futur de supposition, de probabilité :
*Son absence m'étonne. Il **sera** malade.* = Il est sans doute malade.

Futur permanent, qui expose en fait une opinion :
*On ne **fera** jamais assez attention à protéger la nature.*

Attention à la conjugaison (tableaux p. 112 à 164) !
Au futur simple de l'indicatif, tous les verbes ont les mêmes terminaisons :

j'au**rai**	je se**rai**	je chante**rai**	je fini**rai**	je di**rai**
tu au**ras**	tu se**ras**	tu chante**ras**	tu fini**ras**	tu di**ras**
il au**ra**	il se**ra**	il chante**ra**	il fini**ra**	il di**ra**
ns au**rons**	ns se**rons**	ns chante**rons**	ns fini**rons**	ns di**rons**
vs au**rez**	vs se**rez**	vs chante**rez**	vs fini**rez**	vs di**rez**
ils au**ront**	ils se**ront**	ils chante**ront**	ils fini**ront**	ils di**ront**

Attention à ne pas confondre les terminaisons du futur simple et du conditionnel présent (p. 57-Attention !) !

33. LE PASSÉ COMPOSÉ

1. Le passé composé : expression de l'aspect accompli

Le **passé composé** est formé du verbe auxiliaire au présent et du participe passé du verbe conjugué : ***J'ai chanté, tu as fini, il est venu.***

✳ Le présent exprime l'aspect non accompli au moment de l'énonciation. Le passé composé exprime l'**aspect accompli**.

Aspect non accompli	Aspect accompli
Je chante.	*J'ai chanté.*
Tu· finis ton travail.	*Tu as fini ton travail.*
Il descend du dixième étage.	*J'ai appelé l'ascenseur.*

✳ L'aspect accompli du passé composé peut être employé avec une expression indiquant un **futur proche** :

*Encore un peu de patience. **J'ai fini** dans un instant.*

2. L'emploi du passé composé dans l'usage courant, oral et écrit

– Dans l'usage moderne courant, à l'oral et à l'écrit, on emploie l'imparfait pour exprimer une action passée à l'aspect non accompli, non achevé (p. 50-1) :

Il se dépêchait pour ne pas manquer le train de midi.

– Le **passé composé** est employé pour exprimer une **action passée** à **l'aspect accompli**, achevé :

*Il **s'est dépêché** pour ne pas manquer le train de midi.*

3. L'emploi du passé composé dans les récits écrits

L'usage moderne permet d'écrire les récits en employant le passé composé ou le passé simple :

Les Romains ont triomphé de Vercingétorix en 52 av. J.-C.
Les Romains triomphèrent de Vercingétorix en 52 av. J.-C.

Les deux temps expriment l'aspect accompli, achevé.
Mais les deux temps ne donnent pas le même ton au récit.

Le **récit au passé composé** donne l'impression que les événements ont encore un lien avec le moment présent. La «voix» qui raconte l'histoire semble être présente, à côté de nous, dans le même moment que nous :

Il s'est arrêté, il a regardé autour de lui et il est entré dans l'immeuble.

Le **récit au passé simple** donne l'impression que les événements sont complètement passés, qu'ils n'ont pas de liens avec le présent. La «voix» qui raconte l'histoire n'est pas présente, elle semble presque hors du temps :

Il s'arrêta, il regarda autour de lui et il entra dans l'immeuble.

34. LE PLUS-QUE-PARFAIT, LE PASSÉ ANTÉRIEUR, LE FUTUR ANTÉRIEUR

1. Le plus-que-parfait

Le **plus-que-parfait** est formé du verbe auxiliaire à l'imparfait et du participe passé du verbe conjugué : *J'avais chanté, tu avais fini, il était venu.*

* – Le plus-que-parfait exprime l'**aspect accompli** d'une action au moment passé :

J'avais chanté. J'avais fini mon travail. J'étais arrivé.
– L'imparfait exprime l'aspect non accompli (p. 50-1) :
Je chantais. Je finissais mon travail. J'arrivais.

* Le plus-que-parfait a également une valeur temporelle. Il exprime un événement qui **précède un autre événement du passé** :

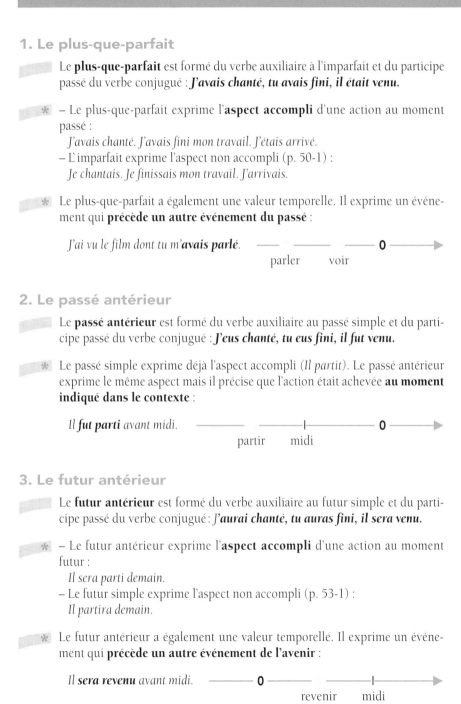

*J'ai vu le film dont tu m'**avais parlé**.* ————— ———— ——— 0 ———→
parler　　voir

2. Le passé antérieur

Le **passé antérieur** est formé du verbe auxiliaire au passé simple et du participe passé du verbe conjugué : *J'eus chanté, tu eus fini, il fut venu.*

* Le passé simple exprime déjà l'aspect accompli *(Il partit)*. Le passé antérieur exprime le même aspect mais il précise que l'action était achevée **au moment indiqué dans le contexte** :

*Il **fut parti** avant midi.* ————— ———|———— 0 ———→
partir　　midi

3. Le futur antérieur

Le **futur antérieur** est formé du verbe auxiliaire au futur simple et du participe passé du verbe conjugué : *J'aurai chanté, tu auras fini, il sera venu.*

* – Le futur antérieur exprime l'**aspect accompli** d'une action au moment futur :

Il sera parti demain.
– Le futur simple exprime l'aspect non accompli (p. 53-1) :
Il partira demain.

* Le futur antérieur a également une valeur temporelle. Il exprime un événement qui **précède un autre événement de l'avenir** :

*Il **sera revenu** avant midi.* ——— 0 ——— ——— |——— →
revenir　　midi

35. LE CONDITIONNEL PRÉSENT ET LE CONDITIONNEL PASSÉ

1. Le conditionnel présent : expression d'une possibilité, d'une éventualité

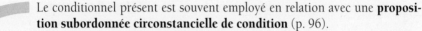
Le conditionnel présent est souvent employé en relation avec une **proposition subordonnée circonstancielle de condition** (p. 96).
– Le verbe de la proposition subordonnée est à l'imparfait et il exprime la condition : *Si j'avais le temps...*
– Le verbe de la proposition principale est au conditionnel présent et il exprime ce qui serait possible si la condition était réalisée :
*Si j'avais le temps, **je jouerais** au basket tous les jours.*

Quand il est employé dans une **proposition indépendante**, le conditionnel présent signifie qu'une action est possible, éventuelle, donc incertaine :
*La pluie **cesserait** de tomber sur la Provence en fin de soirée.*

> Employé dans la même phrase, le **futur** exprime une certitude :
> *La pluie **cessera** de tomber sur la Provence en fin de soirée.*

2. Le conditionnel présent : expression d'un futur

Le conditionnel présent peut exprimer un futur par rapport à un repère situé dans le passé :
*Il a cru qu'il **finirait** son travail hier/aujourd'hui/demain.*

repère	hier	aujourd'hui	demain
il a cru	finirait	finirait	finirait

3. Le conditionnel présent : nuance de politesse

Le **conditionnel présent de politesse** permet d'exprimer une demande sans paraître donner un ordre à l'interlocuteur :
*Je **voudrais** vous demander un service.*

> L'emploi du **présent** est plus direct, plus autoritaire :
> *Je veux vous demander un service.*
> La politesse s'exprime aussi dans l'emploi de l'**imparfait** (p. 51-4).

Attention

La grammaire scolaire présente souvent le conditionnel comme un mode à côté du mode indicatif. Cependant, il n'a une valeur de mode que pour exprimer une possibilité, ou une éventualité. Or nous avons vu que l'imparfait (p. 51-4) ou le futur (p. 53-2) ont des valeurs semblables. Il faut donc rattacher le conditionnel au mode indicatif.

On pourrait changer son nom et parler de formes en -*rait*. Mais l'usage est trop établi et il semble préférable d'éviter des confusions inutiles.

4. Le conditionnel dans le discours rapporté indirect

Si la principale est au passé, le futur du discours rapporté direct devient souvent un conditionnel présent dans le discours rapporté indirect (p. 107-3) :
Il a dit : « Je partirai lundi. » → Il a dit qu'il **partirait** lundi.

5. Le conditionnel passé

Le conditionnel passé est formé du verbe auxiliaire au conditionnel présent et du participe passé du verbe conjugué : **J'aurais chanté, tu aurais fini, il serait venu.**

– Le conditionnel présent exprime l'aspect non accompli :
Il partirait demain.
– Le **conditionnel passé** exprime l'**aspect accompli** :
Il serait parti demain.

6. Les emplois du conditionnel passé

Expression d'une possibilité, d'une éventualité.
– Avec une subordonnée circonstancielle de condition au plus-que-parfait :
Si j'avais eu le temps, j'**aurais joué** au basket tous les jours.
– Employé seul, dans une proposition indépendante :
La pluie **aurait cessé** de tomber sur la Provence en fin de soirée.

Expression d'un futur par rapport à un repère situé dans le passé :
Il croyait qu'il **aurait fini** son travail hier/aujourd'hui/demain.

Conditionnel de politesse :
J'aurais voulu vous demander un service.

Attention

• Certaines grammaires présentent deux temps composés pour le conditionnel :
– le conditionnel passé : j'aurais aimé, il aurait aimé ;
– le conditionnel passé «deuxième forme» : j'eusse aimé, il eût aimé.
Ce conditionnel «deuxième forme» est le plus-que-parfait du subjonctif (p. 59-7).
• Attention à la conjugaison (tableaux p. 112 à 164) !
Au conditionnel présent, tous les verbes ont les mêmes terminaisons :

j'au**rais**	je se**rais**	je chante**rais**	je fini**rais**	je di**rais**
tu au**rais**	tu se**rais**	tu chante**rais**	tu fini**rais**	tu di**rais**
il au**rait**	il se**rait**	il chante**rait**	il fini**rait**	il di**rait**
ns au**rions**	ns se**rions**	ns chante**rions**	ns fini**rions**	ns di**rions**
vs au**riez**	vs se**riez**	vs chante**riez**	vs fini**riez**	vs di**riez**
ils au**raient**	ils se**raient**	ils chante**raient**	ils fini**raient**	ils di**raient**

• Attention à ne pas confondre la conjugaison du conditionnel présent et celle du futur simple (p. 53) !

– Conditionnel = **-rais, -rais, -rait, -rions, riez, -raient.**
– Futur = **-rai, -ras, -ra, -rons, -rez, -ront.**

36. LE SUBJONCTIF

1. Les temps du mode subjonctif

Dans l'usage courant, on emploie le présent et le passé du subjonctif.
– **Présent** : *que j'aie, que je sois, que je chante, que je vienne.*
– **Passé** : *que j'aie eu, que j'aie été, que j'aie chanté, que je sois venu.*

✳ L'usage soutenu emploie aussi l'imparfait et le plus-que-parfait du subjonctif :
– **Imparfait** : *que j'eusse, que je fusse, que je chantasse, que je vinsse.*
– **Plus-que-parfait** : *que j'eusse eu, que j'eusse été, que j'eusse chanté, que je fusse venu.*

2. Le subjonctif dans les propositions indépendantes

Le présent du subjonctif est employé dans des propositions indépendantes avec ou sans *que*. Elles expriment une **éventualité**. Par exemple :
– un **souhait** : ***Vive** la France ! Que le meilleur **gagne** !*
– un **ordre** : *Qu'il **parte** ! Que ces bavardages **cessent** immédiatement !*
– une **hypothèse** : ***Soit** un triangle ABC.*

3. Le subjonctif dans les propositions complétives (p. 88)

Le **subjonctif est obligatoire** quand la proposition subordonnée complète un mot qui exprime un **souhait**, un **doute**, un **ordre**, un **jugement**, etc. :
*Je préfère qu'il **attende**. Je suis content qu'il **soit** là. Il faut que tu **répondes**.*

– Verbes : *accepter que, apprécier que, attendre que, craindre que, défendre que, demander que, désirer que, douter que, s'étonner que, exiger que, s'indigner que, interdire que, ordonner que, permettre que, préférer que, redouter que, refuser que, se réjouir que, suggérer que, vouloir que,* etc.
– Constructions impersonnelles : *il faut que, il importe que, il se peut que,* etc.
– Noms, adjectifs : *vœu, souhait, désir; content, désolé, choqué…*

✳ À la forme négative et dans les phrases interrogatives, quelques verbes peuvent être suivis du **futur simple** de l'indicatif ou du **subjonctif présent** :
*Je ne crois pas qu'il **viendra**/qu'il **vienne**.*
*Penses-tu qu'il **viendra** ?/qu'il **vienne** ?*
Le futur exprime simplement la venue, le subjonctif en fait une **éventualité**.

Autres exemples : *ne pas avoir l'impression que, ne pas garantir que, ne pas être sûr/certain/convaincu que.*

Attention à ne pas confondre !
*Que tu **es** bête ! Qu'il **est** bête !*   Verbe *être* au présent de l'indicatif.
*Il faut que tu **aies** ton examen. Il faut qu'il **ait** son examen.*
      Verbe *avoir* au présent du subjonctif.
Mettre à la 1re personne : *Que je suis bête ! Il faut que j'aie mon examen.*

4. Le subjonctif dans les propositions subordonnées relatives (p. 92-2)

* – Le subjonctif exprime une **opinion** sur l'action (souhait, doute, etc.) :
  *Je cherche un livre qui **puisse** m'expliquer la grammaire.*
  – La relative à l'indicatif complète simplement l'antécédent :
  *Je cherche un livre qui **peut** m'expliquer.../qui **pourra** m'expliquer...*

5. Le subjonctif dans les propositions subordonnées circonstancielles

Le subjonctif est **obligatoire** :
– dans les propositions subordonnées circonstancielles de **but** (p. 99) :
  *Je l'aide pour qu'il **réussisse** son examen.*
– dans les propositions subordonnées circonstancielles de **concession** (p. 100) :
  *Je ne sortirai pas bien qu'il **fasse** beau.*

Le subjonctif est aussi obligatoire :
– dans quelques subordonnées de **temps** (p. 94-3) :
  *Je partirai avant qu'il **revienne**.*
– dans quelques subordonnées de **conséquence** (p. 99-2) :
  *Il n'y a pas assez de soleil pour que je **puisse** bronzer.*

6. Le passé du subjonctif

* Le passé du subjonctif est le temps composé qui correspond au présent du subjonctif. Il est formé du verbe auxiliaire au subjonctif présent et du participe passé du verbe conjugué : *Que j'aie chanté, que tu aies fini, qu'il soit venu.*

* – Le présent du subjonctif exprime l'aspect non accompli :
  *Je souhaite qu'il **parte** ce soir.*
  – Le **passé du subjonctif** exprime l'**aspect accompli** :
  *Je souhaite qu'il **soit parti** ce soir.*

7. L'imparfait et le plus-que-parfait du subjonctif

* Dans l'usage soutenu, on emploie l'imparfait du subjonctif quand le verbe de la proposition principale est au passé (**règle « de concordance des temps »**) :
  – Usage soutenu : *Je voulais qu'il **chantât**/qu'il **partît**/qu'il **vînt**.*
  – Usage courant : *Je voulais qu'il chante/qu'il parte/qu'il vienne.*

* Le plus-que-parfait exprime l'aspect accompli :
  – Usage soutenu : *Je voulais qu'il **eût chanté**/qu'il **fût parti**/qu'il **fût venu**.*
  – Usage courant : *Je voulais qu'il ait chanté/qu'il soit parti/qu'il soit venu.*

Attention **à la conjugaison (tableaux p. 112 à 164) !**
Au subjonctif présent, tous les verbes ont les mêmes terminaisons :
-e, -es, -e, -ions, -iez, -ent.

Sauf *avoir : qu'il ait, que nous ayons, que vous ayez.*
Et *être : que je sois, que tu sois, qu'il soit, que nous soyons, que vous soyez.*

37. L'IMPÉRATIF

1. Les formes et les constructions du mode impératif

La conjugaison de l'impératif comporte deux temps de trois personnes :
– **l'impératif présent** : *Chante, chantons, chantez !*
– **l'impératif passé** : *Aie chanté, ayons chanté, ayez chanté !*

L'impératif se conjugue sans sujet.

> On peut désigner l'interlocuteur de la 2e personne par un nom ou un pronom placé en **apostrophe** (p. 101-3) :
> **Jean, pars** *tout de suite !* **Vous, partez** *sans attendre !*

À l'**impératif positif**, les pronoms compléments suivent le verbe :
– Un seul pronom : *Dis-**le** ! Réponds-**moi** !*
– Deux pronoms. L'ordre est toujours COD + COS : *Dis-**le-lui** ! Dis-**le-moi** !*

À l'**impératif négatif**, les compléments sont à leur place habituelle (p. 33) :
– Un seul pronom : *Ne **le** dis pas ! Ne **me** réponds pas !*
– Deux pronoms de la 3e personne, ordre COD + COS : *Ne **le lui** dis pas !*
– Un seul pronom de la 3e personne, ordre COS + COD : *Ne **me le** dis pas !*

2. Les emplois de l'impératif

On emploie le mode impératif pour dire à quelqu'un de **faire** ou de **ne pas faire** quelque chose :
Venez *demain à huit heures !* **Ne partez** *pas avant midi !*

> L'impératif exprime un **ordre** : *Ne fumez pas !*
> L'infinitif permet d'exprimer une **consigne** moins autoritaire : *Ne pas fumer.*

– L'**impératif présent** exprime l'**aspect non accompli** :
Sortez *à midi !* **Finis** *ton travail avant ce soir !*

– L'**impératif passé** exprime l'**aspect accompli** :
Soyez sortis *à midi !* **Aie fini** *ton travail avant ce soir !*

Attention **à la conjugaison (tableaux p. 112 à 164) !**

• La 2e personne du singulier de l'impératif présent se termine par :

-e : verbe *avoir* (*aie*), verbes du premier groupe (*chante, appelle*), verbes comme *cueillir* (*cueille*) et comme *ouvrir* (*ouvre*).

-s : tous les autres verbes (*sois, finis, fais, dis, viens, vois*).

• La 1re personne du pluriel se termine toujours par **-ons**.

• La 2e personne du pluriel se termine par **-ez**, sauf pour *faites* et *dites*.

• Attention à **ne pas oublier les traits d'union entre le verbe et les pronoms compléments** : *Apporte-le ! Dis-le ! Apporte-le-moi ! Dis-le-nous !*

• **Devant en et y, la terminaison -e devient -es** : *Apportes-en ! Penses-y !*

38. L'INFINITIF

1. Les formes du mode infinitif

Le mode infinitif comporte deux temps :
– **l'infinitif présent :** *avoir, être, chanter, finir, venir ;*
– **l'infinitif passé :** *avoir eu, avoir été, avoir chanté, avoir fini, être venu.*

2. L'infinitif, verbe d'une proposition indépendante

Le verbe d'une proposition indépendante (p. 74-2) peut être à l'infinitif.
– Dans une phrase déclarative, il exprime une **consigne** : *Ne pas fumer.*
– Dans une phrase interrogative, il exprime une **incertitude** : *Que faire ?*
– Dans une phrase exclamative, il exprime le **dépit** : *Me faire ça, à moi !*

3. La proposition subordonnée infinitive

* Les verbes de perception *(voir, entendre, écouter, sentir),* des verbes de mouvement *(emmener, envoyer)* ou des verbes comme *laisser, empêcher de* peuvent être suivis par un verbe à l'infinitif qui a son propre sujet. C'est-à-dire que **le sujet de l'infinitif n'est pas le même que le sujet du verbe principal.** Cette construction est appelée **proposition subordonnée infinitive** :
J'entends **le vent souffler.** « Je » entend... C'est le vent qui souffle.
Le vent souffler : subordonnée infinitive.

* La proposition subordonnée infinitive est **complément d'objet du verbe**. Elle a la même valeur qu'une proposition subordonnée complétive (p. 88) :
J'entends le vent souffler = J'entends que le vent souffle.

L'infinitif peut être employé dans une proposition subordonnée interrogative indirecte (p. 107-3) : *Je me demande **où aller.***

4. L'infinitif nominal

* L'infinitif nominal n'a pas de sujet. Le GN qui pourrait jouer ce rôle est déjà sujet du verbe principal :
*Paul a promis de **revenir.*** « Paul » promet et c'est lui aussi qui reviendra.

* **L'infinitif nominal remplit les fonctions d'un GN** (p. 9-4).
– Sujet : ***Rire*** *est le propre de l'homme.*
– COD : *Il aime **rire.*** – COI : *Il a appris **à nager.***
– Complément circonstanciel : *Je prends ce sirop **pour ne plus tousser.***
– Complément de nom : *Une machine **à laver.***

Attention **à ne pas confondre !**
• L'infinitif nominal est invariable : *Ils aiment **rire** ensemble.*
• L'infinitif devenu un nom varie en nombre : *On entend **son rire/des rires.***

39. LE PARTICIPE PRÉSENT

1. Les formes du participe présent

Le participe présent a deux temps :
– le **participe présent** : *chantant, disant, venant* ;
– le **participe de forme composée** : *ayant chanté, ayant dit, étant venu.*

Le participe présent est invariable. La forme composée suit l'accord du participe passé (p. 65).

✳ – Le participe présent exprime **une action qui est en train de s'accomplir**. Le moment de cette action est donné par le verbe principal :
*Le vent **soufflant** du nord apportait/apporte/apportera un froid sec.*

– La forme composée exprime l'aspect accompli (p. 47-2) :
Ayant soufflé *la bougie, il demeura dans l'obscurité.*

2. La proposition subordonnée participe

✳ Le verbe au participe présent a parfois son propre sujet. C'est-à-dire que **le sujet du participe présent n'est pas le même que le sujet du verbe principal**. Cette construction est appelée **proposition subordonnée participe**, et elle est toujours en **position détachée** (p. 109-2) :
Une tempête approchant, *les voiliers regagnent le port.*
C'est la tempête qui approche... Les voiliers regagnent...
Une tempête approchant : subordonnée participe.

La proposition participe a la même valeur qu'une **proposition subordonnée circonstancielle** complément de temps ou de cause (p. 94, 95) :
*Les voiliers regagnent le port **parce que la tempête approche**.*

3. Le participe présent adjectival

✳ Le participe présent adjectival n'a pas de sujet en propre. Le GN qui pourrait jouer ce rôle est déjà rattaché par sa fonction au verbe principal :
*Une tempête **soufflant** avec violence arrache les tuiles.*
La tempête souffle, mais le GN est déjà sujet de *arracher.*
*Il a filmé la tempête **soufflant** avec violence.*
La tempête souffle, mais le GN est aussi COD de *a filmé.*

✳ **Le participe présent adjectival remplit les fonctions d'un adjectif** (p. 25-3). Mais il est **invariable :**
– Épithète : *Une tempête **soufflant** avec violence a traversé la Manche.*
– Épithète détachée : **Soufflant** *avec violence, une tempête a traversé la Manche.*

• Le participe épithète a la même valeur qu'une subordonnée relative (p. 92-2) :
*Une tempête **qui soufflait avec violence** a traversé la Manche.*
• Le participe épithète détachée est complément circonstanciel de manière ou de cause (p. 81).
• L'emploi du participe comme attribut (invariable !) est plus rare :
*Elles restaient **tremblant** de colère.*

4. Les participes présents devenus des adjectifs qualificatifs

Un participe présent peut perdre sa valeur verbale et devenir un adjectif qualificatif qu'on appelle parfois **adjectif verbal**.
Dans ce cas, il s'accorde avec le nom qu'il qualifie :
*Il parlait d'une voix **tremblante**.*

Attention à ne pas confondre l'adjectif qualificatif et le participe présent !

• L'adjectif qualificatif est variable en genre et en nombre, et, quand le sens le permet, il peut prendre différents degrés :
*Je descends à la station suiv**ante**/ à l'arrêt suiv**ant**.*
*C'est une ville accueill**ante**/ **très** accueill**ante**.*

• Le participe présent adjectival est invariable. Il ne prend pas de degrés et peut être suivi d'un COD :
*Je descends à la station suiv**ant la vôtre**.*
*Les organisateurs accueill**ant les joueurs** étaient très aimables.*

• Dans plusieurs cas, il y a une différence d'orthographe entre le participe présent et l'adjectif.

Participe présent -*quant*	Adjectif -*cant*	Participe présent -*ant*	Adjectif -*ent*
communiquant	communicant(e)	adhérant	adhérent(e)
convainquant	convaincant(e)	coïncidant	coïncident(e)
provoquant	provocant(e)	convergeant	convergent(e)
suffoquant	suffocant(e)	différant	différente(e)
vaquant	vacant(e)	divergeant	divergent(e)
		émergeant	émergent(e)
Participe présent -*guant*	**Adjectif** -*gant*	équivalant	équivalent(e)
extravaguant	extravagant(e)	excellant	excellente(e)
fatiguant	fatigant(e)	influant	influent(e)
intriguant	intrigant(e)	négligeant	négligent(e)
naviguant	navigant(e)	précédant	précédent(e)
zigzaguant	zigzagant(e)	somnolant	somnolent(e)
		violant	violent(e)

40. LE GÉRONDIF

Le gérondif est formé de la préposition ***en*** et de la forme verbale **-*ant***. Il exprime une action ou un état qui est **en train de s'accomplir** :
*Il est parti **en courant**.*

Le gérondif a la fonction d'un **complément circonstanciel** (p. 81) :
– de temps : *J'achèterai le pain **en revenant**.*
– de cause : ***En appuyant** sur ce bouton, tu fais fonctionner l'appareil.*
– de manière : *Il est parti **en courant**.*

41. LE PARTICIPE PASSÉ

1. Le participe passé employé avec un verbe auxiliaire

Le participe passé est employé avec un **verbe auxiliaire** dans deux cas :
– pour former les temps composés ou surcomposés (p. 42-3),
– pour former la voix passive (p. 44-2).

Dans les **temps composés** ou surcomposés, les verbes auxiliaires *être* ou *avoir* et le participe passé du verbe conjugué **forment un tout**. Le participe passé ne peut pas s'analyser seul :
Je suis venu. Passé composé : auxiliaire *être* + participe passé de *venir*.
Elle a réussi. Passé composé : auxiliaire *avoir* + participe passé de *réussir*.

Dans la **voix passive**, l'auxiliaire *être* et le participe passé du verbe mis au passif **forment aussi un tout**. Le participe passé ne peut pas s'analyser seul :
L'incendie est combattu par les pompiers.
Voix passive : auxiliaire *être* + participe passé de *combattre*.

> Attention aux règles d'accord (p. 65) !

2. La proposition subordonnée participe

Quand il n'est pas employé avec un verbe auxiliaire, le participe passé peut être analysé seul. Parfois, il a son propre sujet. C'est-à-dire que **le sujet du participe passé n'est pas le même que le sujet du verbe principal**.
– Cette construction est appelée **proposition subordonnée participe**. Elle est toujours en position détachée (p. 109-2).
– Le participe **s'accorde en genre et en nombre** avec son sujet :
La nuit venue, *nos amis partirent.*

C'est la nuit qui est venue. Nos amis partirent.
La nuit venue : subordonnée participe.

Le participe passé exprime **le résultat d'une action achevée**. Le moment de cette action est situé dans le temps par le verbe principal :
La nuit venue, *ils sont partis/ils partiront.*

> La proposition participe a la même valeur qu'une proposition **subordonnée circonstancielle** complément de temps ou de cause (p. 94, 95) :
> *Quand la nuit fut venue, ils partirent.*
> *Comme la nuit était venue, ils partirent.*

3. Le participe passé devenu adjectif

Un participe passé peut perdre sa valeur verbale et devenir un adjectif qualificatif. Il remplit toutes les fonctions de l'adjectif (p. 25-3). Par exemple :
– Épithète du nom : *une chanson* **connue**, *une maison* **abîmée**.
– Épithète en position détachée : **Épuisé d'avoir couru,** *il s'endormit.*
– Attribut du sujet : *Elle semble* **fatiguée**.

42. L'ACCORD DU PARTICIPE PASSÉ EMPLOYÉ AVEC UN VERBE AUXILIARE

1. Le participe passé employé avec l'auxiliaire *avoir*

Le participe passé employé après l'**auxiliaire *avoir*** s'accorde avec le COD quand celui-ci est placé avant :

J'ai **rencontré** Anne au marché.   COD : *Anne*. Placé après : pas d'accord.

Anne était là. Je l'ai **rencontrée**.   COD : *l'* = *Anne*. Placé avant : accord.

* Le participe passé des **verbes à l'impersonnel** (p. 45-1 et 2) est invariable :

Tu as entendu les coups de tonnerre qu'il y a **eu** cette nuit ?

* Quand le participe passé est **suivi d'un verbe à l'infinitif**, il ne faut pas confondre le COD du verbe conjugué et le COD du verbe à l'infinitif :

La chanteuse que j'ai **entendue** chanter. → J'ai entendu la chanteuse chanter.

que (= la chanteuse) est COD d'*entendre*. Placé avant : accord.

La chanson que j'ai **entendu** chanter. → J'ai entendu chanter la chanson.

que (= la chanson) est COD de *chanter*. Pas d'accord.

2. Le participe passé des verbes employés avec l'auxiliaire être

Le participe passé employé après *l'auxiliaire **être*** s'accorde avec le sujet :

Elle est **partie** ce matin.

Nous sommes **arrivés** hier.

* Le participe passé des **verbes essentiellement pronominaux** (p. 46-2) s'accorde avec le sujet du verbe :

Elle s'est **souvenue** de ton numéro de téléphone.

Ils se sont **méfiés** des difficultés de la circulation.

* Le participe passé des **verbes pronominaux de sens passif** (p. 44-3) s'accorde avec le sujet du verbe :

Toutes les portes se sont **fermées** en même temps.

Ces musiques se sont **jouées** partout.

* Le participe passé des **verbes pronominaux réfléchis, réciproques et neutres** (p. 46-3) s'accorde avec le sujet du verbe quand le pronom réfléchi (*me, te, se, nous, vous, se*) est complément d'objet direct :

Elle s'est **lavée** à la fontaine.   Elle a lavé... « elle-même ».

Ils se sont **rencontrés** en vacances.   Chacun a rencontré l'autre.

* – Le participe passé reste invariable quand le pronom réfléchi (*me, te, se, nous, vous, se*) est complément d'objet indirect :

Elle s'est **cassé** le bras.

Ils se sont **écrit** plusieurs lettres.   Chacun a écrit à l'autre.

– Mais il s'accorde avec le COD quand il est placé avant :

Les lettres qu'ils se sont **écrites**.   COD : *que* = *les lettres*. Accord.

43. L'ADVERBE

1. Définitions

Les adverbes sont des **mots invariables** (sauf *tout*).
On distingue les adverbes de mot et les adverbes de phrase (p. 68, 69).

L'**adverbe de mot** complète ou modifie le sens d'un mot. Il est par exemple :
– complément d'un verbe : *Il travaille **bien**.*
– complément d'un adjectif : *Ce film est **très** intéressant.*
– complément d'un autre adverbe : *Il vient **très** souvent.*
– complément d'un groupe nominal ou prépositionnel :
  *Il y a **environ** un an. C'est **presque** ça. Il est **juste** après le virage.*

L'**adverbe de phrase** complète ou modifie le sens de la phrase :
– adverbe de négation : *Il **ne** viendra **pas**.*
– adverbes interrogatif ou exclamatif : ***Quand** pars-tu ? **Comme** c'est beau !*
– adverbe complément circonstanciel : *Il arrive **demain**.*
– adverbe de commentaire, d'opinion : ***Sincèrement,** je crois que tu as tort.*

2. Les degrés des adverbes

Les degrés des adverbes sont comparables à ceux des adjectifs (p. 26).

Les **degrés d'intensité** sont marqués par des adverbes :
  Il vient souvent. → ***très** souvent, **assez** souvent, **vraiment** souvent, **trop** souvent, **trop** peu souvent...*

Le **comparatif** comporte trois formes :
– comparatif d'égalité : *Il vient **aussi souvent que** toi.*
– comparatif d'infériorité : *Il vient **moins souvent que** toi.*
– comparatif de supériorité : *Il vient **plus souvent que** toi.*

Le **comparatif généralisé** (superlatif relatif) comporte deux formes :
  *C'est elle qui vient **le plus souvent / le moins souvent**.*

> • *Bien.* Comparatif de supériorité : *mieux. Tu travailles **mieux** que moi.*
> Comparatif généralisé de supériorité : *C'est toi qui travailles **le mieux**.*
> • *Mal.* Dans l'usage courant les formes sont régulières : *plus mal, le moins mal.*
> Comparatif ancien : *pis. Aller de mal en **pis**. Au **pis** aller... Tant **pis** !*
> Comparatif généralisé ancien : *C'est le **pis**. Mettre les choses au **pis**.*

Attention aux différents « *tout* » !

• **Tout le monde** est là. **Toutes mes amies** sont là. **Tous mes amis** sont là.
Tout s'accorde avec le nom. Il est adjectif indéfini (p. 21).

• **Tout** est fini. **Toutes** sont arrivées. *Je les connais **tous**.*
Tout s'accorde selon le sens. Il est pronom indéfini (p. 39).

• *Il était **tout** pâle. Elle était **toute** pâle. Elle était **tout** émue.*
Tout est adverbe. Règle d'accord page 67.

3. La formation des adverbes

❋ Beaucoup d'adverbes sont des mots simples.
  – Les uns viennent du latin : *bien, en, hier, ici, là, loin, mal, mieux, où, près, plus, quand, tant, tard, tôt, très...*
  – Les autres viennent de l'ancien français : *après, autant, avant, beaucoup, bientôt, cependant, dedans, dehors, déjà, derrière, devant, ensemble, jadis, jamais, longtemps, parfois, partout, plutôt, quelquefois, sitôt, souvent, surtout, vite...*

❋ Le français comporte également des locutions adverbiales, c'est-à-dire des adverbes qui sont formés d'une expression : *à côté, au-dessus, après-demain, à tue-tête, au fur et à mesure, avant-hier, en bas, en dessous, en général, jusqu'ici, peu à peu, sur-le-champ, tout à fait...*

❋ Les adjectifs peuvent devenir des adverbes. Ils sont généralement employés dans des locutions verbales :
  parler haut/bas/net, chanter faux/juste/fort, couper court, payer cher, filer doux, marcher droit, sentir bon, rire jaune, voir clair...

❋ Les adverbes en *-ment* sont les plus nombreux. Ils sont formés à partir de l'adjectif au féminin :
  claire → clairement, lente → lentement, vive → vivement.

Attention à l'orthographe de l'adverbe *tout* !

– L'adverbe *tout* s'accorde en genre et en nombre avec un adjectif au féminin qui commence par une consonne ou un *h* aspiré :
  *Son vélo est **tout** blanc. Ses deux voitures sont **toutes** blanches.*
  *Le tissu est **tout** hachuré de bleu. Sa jupe est **toute** hachurée de bleu.*
– Il reste invariable devant un adjectif qui commence par une voyelle :
  *Son vélo est **tout** abîmé. Sa voiture est **tout** abîmée.*

• **Attention aux adjectifs devenus des adverbes !**

– L'adjectif s'accorde : *une haute montagne, une réponse nette.*
– L'adverbe est invariable : *Elle parle **haut**. Ils parlent **net**.*

On conserve cependant parfois l'accord :
  *Une fenêtre **grande** ouverte. Des fleurs **fraîches** écloses.*

• **Attention à quelques adverbes en -ment !**

Quand le féminin se termine par *-ie* et *-ue*, l'adverbe ne conserve pas le *e* :
  Vraie → vraiment ; hardie → hardiment ; résolue → résolument...

Dans *goulûment, assidûment*, le *e* est rappelé par l'accent circonflexe.

• **Attention aux adverbes en -emment et en -amment !**

Pour les écrire sans faute, il faut chercher l'origine de l'adverbe.

- Les adverbes en *-emment* proviennent d'adjectifs masculins en *-ent* :
  Prudent → prudemment ; violent → violemment ; évident → évidemment...

- Les adverbes en *-amment* proviennent d'adjectifs masculins en *-ant* :
  Bruyant → bruyamment ; vaillant → vaillamment ; méchant → méchamment...

- Quelques adverbes proviennent d'adjectifs qui ont disparu :
  Sciemment, notamment, précipitamment.

44. LES EMPLOIS DES ADVERBES

1. L'adverbe de mot : les adverbes de verbe

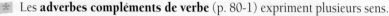 Les **adverbes compléments de verbe** (p. 80-1) expriment plusieurs sens.
– Adverbes de manière : *Elle conduit* **bien**. *J'ai répondu* **stupidement**.
– Adverbes d'intensité : *Je l'aime* **un peu/beaucoup/passionnément**.

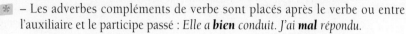 – Les adverbes compléments de verbe sont placés après le verbe ou entre l'auxiliaire et le participe passé : *Elle a* **bien** *conduit. J'ai* **mal** *répondu*.
– Certains se placent après le participe : *J'ai répondu* **stupidement**.

2. L'adverbe de mot : les adverbes d'adjectif

* L'**adverbe complément d'adjectif** se place avant l'adjectif qu'il modifie.
– Adverbes de temps : *Il est* **encore** *jeune. Elle est* **toujours** *aimable*.
– Adverbes d'intensité : *C'est* **si** *beau. C'est* **très** *bon. Il est* **peu/assez** *sévère !*
 Il était **comme** *fou. Il était* **plutôt** *calme*.
– Comparatif et superlatif (p. 26) : *Il est* **plus** *grand* **que***...C'est* **le plus** *grand*.

* L'adverbe complément d'adjectif est placé avant l'adjectif.

3. L'adverbe de mot : les adverbes d'adverbe

* L'**adverbe complément d'adverbe** se place avant l'adverbe qu'il modifie.
– Adverbes d'intensité : *Il vient* **si** *souvent. Il court* **plutôt** *vite!*
– Comparatifs (p. 66-2) : *Il répond* **plus/moins/aussi** *aimablement* **que** *moi*.

4. Les autres adverbes de mots

* Ils se placent avant l'élément qu'ils modifient, un groupe nominal ou prépositionnel, un pronom :
Il parle **comme** *son frère. Il part* **juste** *avant moi. Je les connais* **presque** *tous*.

5. L'adverbe de phrase : affirmation, négation, interrogation, exclamation

Certains adverbes modifient le sens de toute la phrase (p. 102-105) :
– adverbes d'affirmation : **Oui. Si.**
– adverbes de négation : *Il* **ne** *viendra* **pas**. *Je* **ne** *sais* **plus** *son nom*. **Non.**
– adverbes interrogatifs : **Où ? Quand ? Pourquoi ? Comment ? Combien ?**
– adverbes exclamatifs : **Comme** *c'est beau !* **Que** *je suis content !*

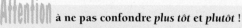 **à ne pas confondre** *plus tôt* **et** *plutôt* **!**

Il est arrivé **plus tôt que** *toi*.	Comparatif de *tôt* : *moins tôt/aussi tôt que*...
Prends **plutôt** *cette glace !*	Adverbe de verbe, exprime une comparaison.
Il fait **plutôt** *froid !*	Adverbe d'adjectif, exprime une intensité.

6. L'adverbe de phrase : les adverbes circonstanciels

 Ces adverbes expriment différentes circonstances (p. 81-3) de l'action.
– Complément de temps : *Il arrive* **demain**. *Il repart* **bientôt**.
– Complément de lieu : *Il y avait des fleurs* **partout**.
– Complément de manière : *Le chat dormait* **tranquillement**.

> Autres exemples : *hier, tard, tôt, après, avant, déjà, jadis, jamais, longtemps, naguère, parfois, quelquefois, sitôt, souvent, sur-le-champ...; là, ici, loin, dedans, dehors, derrière, dessous, dessus, devant, à côté, au-dessus, au-dessous, là-dessus, là-dessous...; ensemble, à tue-tête, au fur et à mesure, peu à peu, lentement, doucement, etc.*

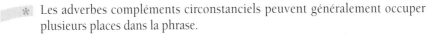 Les adverbes compléments circonstanciels peuvent généralement occuper plusieurs places dans la phrase.
– Leur place «normale» est après le verbe : *Le train avançait* **lentement**.
– Une position détachée (p. 109-3) les met en relief :
Lentement, *le train avançait. Le train avançait,* **lentement**.

7. L'adverbe de phrase : les adverbes de commentaire et d'argumentation

Ces adverbes expriment un commentaire de l'énonciateur (p. 101-1) :
Il a **sans doute** *oublié le rendez-vous.* **Heureusement,** *il ne pleuvait pas !*
Il y avait **même** *les voisins.*

> Autres exemples : *apparemment, certes, certainement, évidemment, vraiment, sûrement, en général, peut-être, probablement, sincèrement...*
>
> Quand l'adverbe est en tête de phrase, la construction avec *que* est courante :
> *Heureusement qu'il était là !*

Les adverbes d'argumentation balisent l'énoncé : *ainsi, bref, enfin, néanmoins, puis, par conséquent, premièrement, deuxièmement...*
Tu as raison. **Néanmoins** *il faut réfléchir et* **par conséquent** *prendre un peu plus de temps pour tout examiner.* **Bref**, *ne pas se précipiter.*

 à ne pas confondre les emplois des adverbes !

•Le même adverbe peut avoir plusieurs emplois :

Il a couru vite.	= rapidement. Adverbe de verbe.
Vite, il a couru le rejoindre.	= sans attendre. Adverbe circonstanciel.
Il a répondu bêtement.	= la réponse est bête. Adverbe de verbe.
Bêtement, il a répondu.	= Il aurait dû se taire. Adverbe de commentaire.

•Plusieurs adverbes entrent dans des locutions qui fonctionnent comme des adjectifs indéfinis (p. 20-21) : *beaucoup de, pas mal de, un peu de*, etc.

•Attention à ne pas confondre les adverbes et les prépositions ! Voir p. 73-Attention !

45. LES CONJONCTIONS DE COORDINATION

1. La coordination et les conjonctions de coordination

La **coordination est une relation d'égalité** entre des mots, ou des propositions.
– Les éléments coordonnés ont la **même fonction syntaxique**.
– Ils peuvent être employés ensemble ou séparément :
Paul *et* Agnès sont là.   Paul est là. / Agnès est là.

On peut coordonner par exemple :
– des GN sujets : ***La pluie et le vent*** *ont causé beaucoup de dégâts.*
– des propositions indépendantes : ***Il pleut et il vente.***
– des adjectifs épithètes : *Il fait un temps* **gris et pluvieux**.
– un adjectif épithète et une proposition subordonnée relative épithète :
Il fait un temps **gris et qui donne le cafard**.

La conjonction de coordination est un simple lien qui attache ensemble les éléments coordonnés. Elle ne fait pas partie de ces éléments :

Paul		*et*		Agnès
nom		conjonction de coordination		nom

Les conjonctions de coordination sont : *et, ou, ni... ni..., mais, donc car, or.*
Ce sont des mots invariables.

2. La conjonction de coordination et

Et coordonne deux éléments ou plus. *Et* exprime :
– une addition (on peut ajouter *ensemble, en même temps*) :
J'ai mangé du pain **et** *du beurre.*
– ou une succession (on peut dire *et puis*) :
Il a dit au revoir **et** *il est parti.*

S'il y a plus de deux éléments, on emploie *et* entre les deux derniers :
J'ai rencontré Claire, Agnès **et** *Annie.*

On peut répéter *et* pour mettre en relief une énumération :
J'ai rencontré Paul **et** *Pierre* **et** *Jean.*
Mais il ne faut pas abuser de ces répétitions.

> Dans l'usage oral, *et* intervient souvent pour appuyer une intervention de l'énonciateur (p. 101-1) : **Et** *alors ?* **Et puis** *quoi encore ?* **Et** *il est content !*

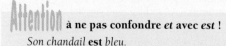 **à ne pas confondre *et* avec *est* !**
Son chandail **est** *bleu.*

Est : verbe *être*. On peut employer : *était, sera, serait...* Pluriel : *sont.*
Son chandail **est** *bleu* **et** *gris.*
Et : conjonction de coordination des adjectifs attributs *bleu* et *gris*.

3. La conjonction de coordination *ou*

Ou coordonne deux éléments ou plus. *Ou* exprime une alternative.
  – Elle a le sens des conjonctions *ou... ou..., soit... soit..., ou bien... ou bien...* :
    *Ce soir, nous mangerons à la pizzeria **ou** à la crêperie.*
  – Elle peut aussi avoir le sens de la conjonction *tantôt... tantôt...* :
    *Cette semaine, nous mangerons à la pizzeria **ou** à la crêperie.*

Quand il y a plus de deux éléments, on emploie *ou* entre les deux derniers :
  *Veux-tu un fruit, une glace **ou** un gâteau ?*

4. La conjonction de coordination *ni... ni...*

Ni... ni... s'emploie dans un contexte négatif. Après *pas*, le premier *ni* est supprimé.
  *Nous n'irons **ni** à la pizzeria **ni** à la crêperie.*
  *Nous n'irons **pas** à la pizzeria **ni** à la crêperie.*

5. La conjonction de coordination *mais*

Mais relie deux éléments. *Mais* exprime une idée d'opposition :
  *Il pleut, **mais** la pluie ne m'empêchera pas de sortir.*
  *Je ne connais pas Brest, **mais** je connais Quimper.*

> Dans l'usage oral, *mais* intervient souvent pour appuyer une intervention de
> l'énonciateur (p. 101) : **Mais** *qu'est-ce que tu fais ?* **Mais** *dites donc ! Non* **mais** *!*

6. La conjonction de coordination *donc*

Donc exprime une conséquence ou une conclusion. Elle peut être placée en
tête de la proposition coordonnée ou plus loin :
  *Ce n'est pas Jean qui m'a téléphoné, **donc** c'est Fabien/c'est **donc** Fabien.*

7. La conjonction de coordination *car*

Car ne coordonne que des propositions. *Car* exprime une cause :
  *Faites attention en roulant **car** il y a du brouillard.*

8. La conjonction de coordination *or*

La conjonction *or* ne coordonne que des propositions. Elle appartient à
l'usage soutenu. Elle introduit le deuxième argument d'un raisonnement :
  *Il ne m'a jamais vu. **Or** il connaît mon nom. Donc quelqu'un le lui a dit.*

Attention **à ne pas confondre *ou* et *où* !**

*Je pars lundi **ou** mardi.*	*Ou* : conjonction de coordination. **Pas d'accent !**
Où es-tu ?	*Où* : adverbe interrogatif de lieu (p. 68-4). **Accent grave !**
*La ville **où** il habite.*	*Où* : pronom relatif (p. 91-5). **Accent grave !**

46. LES CONJONCTIONS DE SUBORDINATION

1. La subordination et les conjonctions de subordination

La subordination est une **relation de hiérarchie** entre des propositions ou des mots.
– L'élément subordonné dépend d'un élément principal.
– Il ne peut pas être employé tout seul :

*Je crois **que tu as raison**.* /que tu as raison (??)
*Une tablette **de chocolat**.* /de chocolat (??)

> Il y a trois sortes de mots subordonnants : les conjonctions de subordination, les pronoms relatifs (p. 90-91), les prépositions (p. 73).

La **conjonction de subordination** introduit une proposition subordonnée complétive ou une proposition subordonnée circonstancielle.
C'est un mot invariable.

2. Les emplois des conjonctions de subordination

– Les **propositions subordonnées complétives** (p. 88-1) sont introduites par la **conjonction de subordination** *que*.
– Elles sont généralement complément d'objet du verbe de la principale :

*Je pense **que** tu as raison. Il dit **que** tout ira bien.*

> La subordonnée complétive peut être aussi : sujet, attribut, complément d'un nom ou d'un adjectif.

– Les **propositions subordonnées circonstancielles** (p. 94-100) sont introduites par des **conjonctions simples** (*quand, comme, si, que*) ; des **conjonctions composées avec** *que* (*lorsque, puisque, quoique*) ; des **locutions conjonctives avec** *que* (*avant que, après que, parce que, afin que, bien que...*).
– Elles sont compléments circonstanciels de la proposition principale :

__Quand__ tu auras fini de téléphoner, tu viendras m'aider. = temps.
*Il m'a écrit **pour que** je lui achète un disque.* = but.
__Si__ tu as le temps, viens me voir demain. = condition.

> • Quand des propositions subordonnées de même fonction sont coordonnées, on peut répéter la conjonction :
> *J'aime me promener **quand** il pleut et **quand** le vent souffle.*
> • On peut aussi employer *que* après n'importe quelle conjonction (sauf après *comme* comparatif, p. 100) :
> *J'aime me promener **quand** il pleut et **que** le vent souffle.*

Attention **aux emplois de** *que* !

Je crois que tu as tort.	Verbe + *que* : conjonction de subordination.
Le livre que tu lis est à moi.	Nom + *que* : pronom relatif (p. 90-3).
Je n'ai vu que Philippe.	*Ne... que* : adverbes de négation (p. 68-4).
Il est plus grand que moi.	*Plus/moins/aussi... que* : comparatif (p. 26-2).
Que dis-tu ?	*Que* : pronom interrogatif (p. 37-1).
Que c'est beau !	*Que* : adverbe exclamatif (p. 68-4).

47. LES PRÉPOSITIONS

1. La préposition et le groupe prépositionnel (GP)

La préposition introduit un **groupe prépositionnel complément**.

une tablette	de	chocolat

On dit que le groupe prépositionnel est en **construction indirecte**.

– Les prépositions sont des **formes simples** : *à, après, avant, avec, contre, dans, de* (la préposition la plus souvent employée), *depuis, dès, devant, durant, en, entre, envers, par, parmi, pendant, pour, vers, sans, sous, sur...*
– Ou bien des **locutions prépositionnelles** : *près de, auprès de, aux environs de, le long de, en bas de, à droite de, sur la gauche de, au-delà de, en dessous de...*
– Ce sont des mots invariables.

2. La construction des groupes prépositionnels

Préposition + GN :	*Une tasse **de café**, un moulin **à vent**.*
Préposition + pronom :	*C'est **à moi**. J'ai apporté ce livre **pour toi**.*
Préposition + verbe à l'infinitif :	*Une machine **à laver**.*
Préposition + adverbe :	*Le journal **d'hier**, la porte **de derrière**.*

3. Les fonctions des groupes prépositionnels

Complément d'un nom (p. 79-1) :	*Une tablette **de chocolat**.*
Complément d'un adjectif (p. 24-2) :	*Il était rouge **de colère**.*
COI et COS (p. 84 et 85) :	*Il a parlé **de toi à Bertrand**.*
Complément circonstanciel (p. 81) :	*Le chat dort **sur le mur**.*
Complément d'un pronom :	*Un **de mes amis** est venu.*
Complément d'un adverbe :	*Elle est bien **dans sa peau**.*

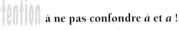 **à ne pas confondre *à* et *a* !**

Une tasse à café, un moulin à vent.	À = préposition. Un accent grave !
Il a un survêtement bleu. Il avait...	A = verbe *avoir*. Pas d'accent !

• **Attention à ne pas confondre *près* et *prêt* !**
  Sa maison est près d'une rivière.   Près de: préposition invariable.
  Approche-toi plus près.   Près : adverbe invariable.
  Il est prêt à partir. Elle est prête aussi.   Prêt/prête : adjectif qualificatif.

• **Attention à ne pas confondre *quant à* et *quand* !**
  Quant à Pierre, il arrive demain.   Quant à : loc. prép. + nom.
  Quand Pierre sera là, préviens-moi.   Quand : conjonction de temps (p. 62-1)

• **Attention à ne pas confondre groupes prépositionnels et adverbes !**
  Le collège est près du stade (= GP).   Viens plus près (= adverbe).
  Je suis parti avant Agnès (= GP).   Je suis parti avant (= adverbe).

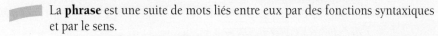

48. LA PHRASE ET LES PROPOSITIONS

1. La phrase

La **phrase** est une suite de mots liés entre eux par des fonctions syntaxiques et par le sens.

> Une phrase peut comporter un seul mot : *Attention ! Oui. Venez !*

2. La phrase simple verbale et la proposition indépendante

Une **phrase simple verbale** est une phrase qui comporte un seul verbe conjugué. Elle forme **une proposition indépendante** :
> *Un nuage cache la lune.*

Les constituants obligatoires de la phrase simple sont le **groupe du sujet** et le **groupe verbal** (p. 40-3) :

Un nuage Groupe du sujet	*cache la lune.* GV

> Le verbe impératif se conjugue sans sujet (60-1) :
> *Venez ! Pars !*

La phrase simple peut comporter un ou plusieurs constituants facultatifs qu'on appelle les **compléments circonstanciels** (p. 81) :

Un nuage G du sujet	*cache la lune* GV	*depuis deux minutes.* complément circonstanciel

3. La phrase sans verbe

On appelle **phrase sans verbe** une phrase qui ne comporte pas de verbe conjugué. Elle ne forme pas une proposition :
> *Attention ! Formidable, ce film !*

> • La phrase sans verbe est parfois appelée *phrase nominale*. C'est une expression discutable parce que les phrases sans verbe ne sont pas uniquement composées d'un ou plusieurs noms.

Dans les conversations ordinaires, on trouve moins de phrases complètes qu'à l'écrit. C'est parce que la syntaxe de l'oral dépend des fonctions syntaxiques, mais aussi des accentuations, des répétitions, des gestes, etc.
– *Vous pensez que le record sera battu ?*
– *Oui. Je crois… Je pense qu'il le sera… Difficilement, c'est vrai… Mais battu… Je pense difficilement. Oui… battu difficilement…*

4. La phrase complexe

Une **phrase complexe** est une phrase qui comporte plusieurs propositions.

Ces propositions peuvent être juxtaposées, coordonnées ou subordonnées.
– Les **propositions juxtaposées** sont simplement séparées par une virgule :
Il pleut, tout est devenu gris.
– Les **propositions coordonnées** sont liées par une conjonction de coordination (p. 70) :
*Il pleut **et** tout est devenu gris.*
– Les **propositions subordonnées** sont des propositions qui dépendent d'un GN ou du verbe d'une **proposition principale**, ou bien qui sont compléments circonstanciels de la proposition principale.

> Une proposition peut être subordonnée à une autre proposition subordonnée :
> *J'ai acheté la cassette du concert **où je suis allé quand j'étais en vacances**.*

5. Les différentes propositions subordonnées

La **proposition subordonnée relative** est généralement épithète d'un nom qu'on appelle son antécédent (p. 92-2) :
*La pluie **qui tombe** cache tout le paysage.*   Antécédent : *La pluie.*
     Subordonnée relative : *qui tombe.*

La relative sans antécédent remplit les fonctions d'un GN (p. 93-5).

La **proposition subordonnée complétive** est généralement complément d'objet du verbe de la proposition principale (p. 88-2) :
*Je crois **qu'il pleut**.*   Principale : *Je crois.*
     Subordonnée complétive : *qu'il pleut.*

La subordonnée complétive peut être aussi : sujet, attribut, complément d'un nom ou d'un adjectif (p. 89).

La **proposition subordonnée interrogative indirecte** est complément d'objet du verbe de la principale (p. 107-3) :
*Je me demande **quand il va arriver**.*   Principale : *Je me demande.*
     Subordonnée interrogative indirecte : *quand il va arriver.*

La **proposition subordonnée circonstancielle** est un complément circonstanciel de la proposition principale (p. 94-100) :
*Tout est gris **parce qu'il pleut**.*   Principale : *Tout est gris.*
     Subordonnée circonstancielle de cause : *parce qu'il pleut.*

Les **propositions infinitives** (p. 61-3) et **participes** (p. 62-2 et 64-2) sont également des formes de propositions subordonnées.

• À l'écrit, le premier mot d'une phrase doit commencer par une **lettre majuscule !**
• La fin de la phrase doit être marquée par un **point** (p. 110).

49. LE SUJET

1. Définition

Le **groupe du sujet** et le **groupe verbal** sont les constituants indispensables de la **proposition**. Les **compléments circonstanciels** sont des constituants facultatifs.

Proposition = Groupe du sujet + GV + (Complément circonstanciel)

À l'impératif, le sujet n'est pas exprimé (p. 60-1).

Le sujet désigne généralement l'être ou la chose :
– qui fait ou qui subit l'action : *Paul arrive demain.*
– ou qui est dans un certain état : *Paul est malade.*

Le verbe **s'accorde en personne** avec le sujet :
Je viens.   1re personne du singulier.
Agnès et Philippe viennent.   3e personne du pluriel.

Le participe passé des temps composés avec *être* s'accorde en genre et en nombre avec le sujet (règles d'accord p. 65).

2. Comment reconnaître le sujet ?

Dans la majorité des cas, on reconnaît le sujet en utilisant la construction **c'est... qui** qui le met en relief (p. 108-3) :
Claire regarde le paysage. → *C'est Claire qui regarde le paysage.*

Dans le cas de la **voix impersonnelle** (p. 45-1), il faut distinguer entre le **sujet grammatical** et le **sujet logique** :

Il passe deux trains par heure.

Le verbe *passer* s'accorde   Mise en relief par *c'est... qui* :
avec le pronom *Il* :   *Ce sont deux trains qui passent...*
Il est le **sujet grammatical**.   *deux trains* est le **sujet logique**.

Dans le cas des verbes impersonnels (p. 45-2), il n'y a pas de sujet logique mais simplement le sujet grammatical *il* : *Il pleut.*

3. Les constructions du groupe du sujet

GN (p. 9-3)	*Le soleil brille. **Paul** arrive demain.*
Pronom personnel (p. 30)	***Je** reviens. **Elles** partent par le train.*
Autres pronoms	***Ceci** est intéressant. **Plusieurs** viendront.*
Infinitif nominal (p. 61)	***Souffler** n'est pas jouer.*
Subord. relative sans antécédent (p. 93-5)	***Qui cherche** trouve.*
Subord. complétive (p. 89-5)	***Qu'il revienne** serait étonnant.*

4. L'ordre verbe + sujet

L'ordre sujet + verbe est l'ordre « normal » des phrases déclaratives :

Brigitte écoute Marie.   *C'est Brigitte qui écoute…* → *Brigitte* : sujet.
Marie écoute Brigitte.   *C'est Marie qui écoute…* → *Marie* : sujet.

L'ordre verbe + sujet est **obligatoire** :
– dans les propositions incises du discours rapporté direct (p. 106-2) :
     « Il ne fait pas beau », **dit-il**.
– dans les propositions indépendantes au subjonctif sans *que* (p. 58-2) :
     Soit un triangle ABC. Vive la République !

– L'ordre verbe + pronom sujet s'emploie dans les phrases interrogatives :
     Il a compris → *A-t-il compris ?*
– Quand le sujet est un nom, il reste devant le verbe mais il est repris par un pronom placé après le verbe (p. 103-6) : *Pierre a-t-il compris ?*

L'ordre verbe + sujet rend **plus lisibles** les phrases qui ont un sujet long :
     Sont convoqués pour 8 heures Mlle et MM. Anne X., André Y, Paul Z…

L'ordre verbe + sujet peut être choisi par **effet de style**, par exemple pour mieux équilibrer une phrase :
     Par la fenêtre ouverte, monte l'odeur des acacias. (Aragon)

> Certains adverbes de commentaire et d'argumentation (p. 69-6) sont en tête de phrase.
> – L'usage courant ou soutenu conserve l'ordre sujet + verbe et emploie souvent *que* + sujet + verbe : *Sans doute il a oublié. Sans doute qu'il a oublié.*
> – L'usage soutenu postpose parfois le sujet pronominal : *Sans doute a-t-il oublié.*

Attention

• **Le nom sujet est au singulier mais il a un sens pluriel !**

– Le nom sujet est employé seul. Accord normal au singulier :
     Une foule était massée devant le stade.

– Le nom sujet est suivi d'un complément au pluriel. On accorde selon le sens qu'on donne à la phrase :
     Une foule de gens est là / sont là. Une dizaine d'amis est là / sont là.

– Le sujet exprime une quantité (*beaucoup de, assez de, peu de, combien de, trop de, tant de, la plupart de, que de…*). Le verbe se met au pluriel :
     Beaucoup d'amis sont là. Peu de gens sont venus.

– Si le nom est un nom non dénombrable (p. 12-1), le verbe est au singulier :
     Beaucoup de pluie est tombée. Peu de pluie est tombée.

• **Le verbe a plusieurs sujets !**

– L'accord normal est au pluriel : *Pierre et Paul viendront.*

– Les sujets sont de personnes grammaticales différentes :
     Toi et lui, vous irez à la piscine. La 2ᵉ personne l'emporte sur la 3ᵉ.
     Toi, lui et moi, nous irons au stade. La 1ʳᵉ l'emporte sur les autres.

– Les sujets sont reliés par *ou, ni, ainsi que, comme, de même que, aussi bien que, avec.* Le sujet est *l'un et/ou l'autre.* On accorde selon le sens de la phrase :

Paul ou Marc viendra. On envisage chaque venue séparément.
Paul ou Marc viendront. On envisage les deux ensemble.

50. L'ADJECTIF ÉPITHÈTE

1. L'adjectif épithète (ou épithète liée)

L'**adjectif épithète** est un constituant complémentaire du GN (p. 9-3) :
GN = Déterminant + Nom + (Adjectif épithète)

L'adjectif épithète est en construction directe avec le nom qu'il qualifie :
*Un film **intéressant**, une veste **grise**, des leçons **difficiles**.*

> • Pour la place de l'adjectif épithète, voir p. 27.
> • L'épithète peut être un groupe adjectif (p. 24-2) :
> *Un film **très intéressant**. Une leçon **difficile à apprendre**.*

2. L'adjectif épithète détachée

L'**adjectif épithète détachée** est séparé du nom par une virgule (p. 109-2) :
*Les spectateurs, **satisfaits**, applaudirent les acteurs.*
***Satisfaits**, les spectateurs applaudirent les acteurs.*

> L'épithète détachée peut être un groupe adjectif (p. 24-2) :
> *Les spectateurs, **très satisfaits**, applaudirent les acteurs.*
> ***Satisfaits du spectacle**, les spectateurs applaudirent les acteurs.*

✳ L'adjectif épithète et l'adjectif épithète détachée ont des sens différents :
Les spectateurs satisfaits applaudirent longtemps.
Les spectateurs, satisfaits, applaudirent longtemps.
– L'**épithète** concerne un groupe de spectateurs : ceux qui sont satisfaits. Mais d'autres spectateurs n'ont pas été satisfaits et n'ont pas applaudi longtemps.
– L'**épithète détachée** concerne tous les spectateurs. Elle a la valeur d'un complément circonstanciel : « parce qu'ils sont satisfaits ».

> • Pour qualifier un pronom, l'adjectif doit généralement être en position détachée :
> ***Satisfaits**, ils sont repartis.*
> • Dans quelques constructions, l'adjectif peut être épithète du pronom (avec valeur adverbiale) : *Elle **seule** a raison.*
> • Pour les constructions : pronom + *de* + adjectif, voir p. 38.

3. L'adjectif complément

Dans le groupe adjectif (p. 24-2), un adjectif peut être complément d'un autre adjectif :
*Un manteau **gris clair**.*   *clair* = complément de l'adjectif *gris*.
   gris clair = groupe adjectif épithète de *manteau*.

Attention

• **L'adjectif s'accorde avec le nom ou le pronom** qu'il qualifie (voir p. 28-29).

51. LE COMPLÉMENT DU NOM ET LE NOM EN APPOSITION

1. Le complément du nom

Le **complément du nom** est un constituant complémentaire du GN (p. 9-3) :
GN = Déterminant + Nom + (Complément de nom)

Le complément du nom est aussi appelé **complément de détermination**.

Le **complément du nom en construction indirecte** fait partie d'un groupe prépositionnel (GP), c'est-à-dire d'un groupe introduit par une préposition (p. 73).
*Un film **de science-fiction**. Une machine **à laver**. La ville **de Lille**.*

Le complément du nom en construction indirecte peut exprimer plusieurs sens : un contenu, une matière, un lieu, une destination ou une autre précision. Il est construit de quatre manières :
– Préposition + nom : *une tasse **de café / à café / de porcelaine**.*
– Préposition + verbe à l'infinitif : *une machine **à laver**.*
– Préposition + adverbe : *le journal **d'hier** ; le monde **de demain**.*
– Préposition + pronom : *un film **pour tous**.*

Le **complément du nom en construction directe** peut lui aussi exprimer plusieurs sens. Deux constructions sont possibles :
– Nom + nom propre : *la rue **Victor-Hugo**, le peintre **Renoir**, mon cousin **Marc**.*
– Nom + nom commun : *le verbe **être**, mon voisin **le garagiste**.*

Beaucoup de GN du type nom + nom sont plutôt des noms composés :
Un stylo feutre, un stylo bille, un sac poubelle, un vélo tout terrain.

2. Le nom en apposition

Le **nom en apposition** est un constituant complémentaire du GN (p. 9-3) :
GN = Déterminant + Nom + (Nom en apposition)

Le nom en apposition est un nom en position détachée (p. 109-2) Il exprime une sorte de commentaire sur le nom principal :
*Paris, **la capitale de la France**, est au centre du Bassin parisien.*
*Lyon, **ancienne capitale des Gaules**, est au confluent de la Saône et du Rhône.*

Le nom complément du nom se met au singulier ou au pluriel selon le sens :

Du jus d'orange.	Fait du fruit appelé l'*orange*.
Un kilo d'oranges.	Il y a plusieurs oranges.
Un banc de pierre.	Un banc fait de pierre et non pas de bois, de métal.
Un tas de pierres.	Il y a plusieurs pierres entassées.

Dans de nombreux cas, les deux orthographes sont possibles :
De la confiture de cerise / de cerises. Des cerisiers en fleur / en fleurs.

52. LES COMPLÉMENTS DE VERBE ET LES COMPLÉMENTS CIRCONSTANCIELS

1. Le complément de verbe

Le complément de verbe apporte une information qui est **indispensable au sens du verbe**. Si on supprime le complément de verbe :
– ou bien la phrase reste incomplète :
*Les pompiers ont éteint **l'incendie**. / Les pompiers ont éteint… (??)*
– ou bien le verbe change de sens :
*L'arbitre a sifflé **dix fautes**. / L'arbitre a sifflé.*

Le complément de verbe est un constituant du groupe verbal (p. 41-4) :
*Les pompiers ont éteint **l'incendie** ce matin.*

Le complément de verbe **ne peut pas être déplacé** pour être mis avant le verbe ou en tête de la phrase :
Les pompiers l'incendie ont éteint. (!!) / L'incendie les pompiers ont éteint. (!!)

> • Quand le complément de verbe est un pronom, sa place normale est avant le verbe (p. 33-4) : *Les pompiers **l'**ont éteint.*
> • La construction *c'est… que* permet de placer le complément de verbe en tête de phrase (p. 108-3) : ***C'est l'incendie que** les pompiers ont éteint.*

2. Les différents compléments de verbe

Les compléments d'objet **direct**, **indirect** et **second** :
COD (p. 83) : *Les pompiers ont éteint **l'incendie**.*

COI (p. 84) : *La télévision a parlé **du match**.*

COS (p. 85) : *Paul écrit une lettre **à son frère**.*

Quelques verbes doivent être suivis d'un complément qui exprime un lieu, un prix, etc. Ce complément ressemble à un complément circonstanciel, mais il est indispensable au sens du verbe et il fait partie du GV (p. 84) :
*Ce livre coûte **30 F**. Brigitte va **à Strasbourg**.*

> Les adverbes compléments de verbe ressemblent eux aussi aux compléments circonstanciels mais ils sont toujours placés après le verbe et ils font partie du GV (p. 68-1) : *Elle conduit **bien**. Elle court **vite**.*

La grammaire scolaire traditionnelle distinguait quatre compléments qu'elle appelait les compléments **du** verbe : le COD, le COI, le complément d'attribution, les compléments circonstanciels.

Aujourd'hui, les grammairiens distinguent deux grandes catégories :
1. Les compléments de verbe, appelés parfois compléments essentiels.
2. Les compléments circonstanciels, appelés parfois compléments de phrase.

3. Les compléments circonstanciels

Le complément circonstanciel **n'est pas indispensable au sens du verbe**. Si on supprime un complément circonstanciel, la phrase perd une information sur les circonstances de l'action. Mais le sens du verbe ne change pas :
*Les pompiers ont éteint l'incendie **ce matin**.*
Les pompiers ont éteint l'incendie.

Le complément circonstanciel est un **constituant de la phrase** :
*Les pompiers ont éteint l'incendie **ce matin**.*

On peut **déplacer** le complément circonstanciel (p. 109-3) :
***Ce matin**, les pompiers ont éteint l'incendie.*

4. Les formes des compléments circonstanciels

GN (p. 9-4)	*Jean joue au basket **tous les mercredis**.*
GP (p. 73-3)	*Jean joue au basket **avec l'équipe du collège**.*
Adverbe (p. 69-6)	*Jean a joué au basket **hier**.*
Gérondif (p. 63)	*Jean a rencontré Agnès **en revenant du stade**.*
Proposition subordonnée participe présent (p. 62-2)	***Le match se terminant**, Jacques est parti.*
Proposition subordonnée participe passé (p. 64-2)	***Le match terminé**, Jacques est parti.*
Proposition subordonnée circonstancielle (p. 94-100)	*Jacques est parti **dès que le match a été terminé**.*

5. Les sens des compléments circonstanciels

Le lieu	*Le chat dort **sur le mur**.*
Le temps	*Il pleut **depuis ce matin**.* ***Quand il pleut**, je prends mon parapluie.*
La manière	*Le vent souffle **violemment**. Il est revenu **en courant**.*
Le moyen	*Il m'a averti **d'un geste de la main**.*
La cause	*J'ai eu peur **parce que j'ai été surpris**.*
La condition ou l'hypothèse	***Si tu t'entraînais**, tu jouerais mieux.*
La conséquence	*Je suis arrivé tard **si bien que je ne l'ai pas vu**.*
Le but	*Il travaille **pour s'acheter un vélo**.* *Je l'aide **pour qu'il réussisse**.*
La concession	*Je viendrai **bien que je sois très fatigué**.*
La comparaison	*Elle joue **comme sa sœur**.*

53. LES VERBES INTRANSITIFS ET LES VERBES TRANSITIFS

1. Le verbe intransitif

Un verbe intransitif est un verbe qui **n'a pas besoin de complément de verbe**.
Son sens est complet : *passer, dormir, briller, vivre, courir,* etc.

Le GV ne comporte que le verbe : GV = V
Un train **passe**.
Le chat **dort**.

2. Le verbe transitif

Un verbe transitif est un verbe qui **a besoin d'un complément d'objet** pour que son sens soit complet. Le verbe désigne l'action, le complément d'objet désigne l'être, la chose, l'idée, etc. qui est concerné par l'action, sur lequel porte l'action : *tenir quelque chose, regarder quelque chose ou quelqu'un, parler de quelque chose ou de quelqu'un,* etc.

Le GV comporte le verbe transitif et le complément d'objet direct ou indirect :
GV = V + COD   *L'arbitre* **a sifflé** *la fin du match*.

GV = V + COI   *La télévision* **a parlé** *du match*.

> Les verbes *peser, coûter, mesurer, valoir, aller, venir,* etc. sont généralement employés avec un complément de verbe. Mais ce ne sont pas des verbes transitifs et ces compléments ne sont pas des compléments d'objet (p. 84).

3. Les emplois transitif et intransitif d'un même verbe

Dans certains cas, la situation d'énonciation (p. 101) permet de ne pas préciser le complément d'objet. Le verbe reste transitif et l'objet est **implicite** :
Qu'est-ce fait Paul ? – Il mange.   On sait qu'il mange un aliment.

Souvent le verbe transitif et le verbe intransitif n'ont pas le même sens :
Paul mange un gâteau.   *Manger quelque chose* = mâcher et avaler.
Paul mange trop.   *Manger* = se nourrir.

Jean a cédé sa part à Marc.   *Céder quelque chose* = donner.
La digue a cédé.   *Céder* = se rompre.

Quelques verbes intransitifs sont parfois employés avec un complément direct qui répète leur sens : *Vivre* **sa vie**. *Aller* **son chemin**.
On appelle ce complément le **complément d'objet interne**.

54. LE COMPLÉMENT D'OBJET DIRECT

1. Définition

Le **complément d'objet direct (COD)** est :
– un complément de verbe,
– en construction directe,
– et qui peut devenir sujet du verbe à la voix passive.

Le COD fait partie du groupe verbal : GV = V + COD
Le vent soulève **le sable** *sur la dune.*

2. Comment reconnaître le COD ?

Le COD est un **complément de verbe** (p. 80-1).
– Il ne peut pas être supprimé : *Le vent soulève...* (??)
– Il ne peut pas être déplacé : *Le sable le vent soulève.* (!!)

La **construction** verbe transitif direct + COD peut être **mise à la voix passive.**
Le COD devient le sujet du verbe au passif (p. 44-2) :
Le vent soulève **le sable**. → **Le sable** *est soulevé par le vent.*

> Le passage de la voix active à la voix passive n'est pas toujours automatique. Il y a des cas où la voix passive semble difficile ou impossible à employer :
> *Paul aime le cinéma* → *Le cinéma est aimé de Paul.* (??)
> *Paul écoute un disque.* → *Un disque est écouté de Paul.* (??)
> Mais ces phrases ne contredisent pas la définition du COD. Il suffit que le passage à la voix passive soit en théorie possible.

3. Les formes du COD

GN (p. 9-4)	*Le professeur corrige* **les devoirs.**
Pronom personnel (p. 31-4)	*Le professeur* **les** *corrige.*
Pronom démonstratif/possessif (p. 34, 36)	*Je préfère* **celui-ci / le mien.**
Pronom indéfini (p. 38-39)	*J'ai vu* **quelqu'un** *dans le jardin.*
Infinitif nominal (p. 61-4)	*Paul espère* **venir** *demain.*
Subordonnée infinitive (p. 61-3)	*On entend* **le vent souffler.**
Subordonnée complétive (p. 88-2)	*Je pense* **qu'il viendra.**
Subordonnée interrogative indirecte (p. 107-3)	*Demande-lui* **quand il part.**
Subordonnée relative sans antécédent (p. 93-5)	*J'ai acheté* **ce que j'ai pu.**

Ne pas oublier le rôle que joue le COD dans l'accord du participe passé après
avoir **(règles d'accord p. 65-1).**

55. LE COMPLÉMENT D'OBJET INDIRECT

1. Définition

Le **complément d'objet indirect (COI)** est :
– un complément de verbe,
– en construction indirecte.

Le COI fait partie du groupe verbal : GV = V + COI
Brigitte <u>*ressemble*</u> ***à sa sœur***.

2. Comment reconnaître le COI ?

Le COI est un **complément de verbe** (p. 80-1).
– Il ne peut pas être supprimé : *Brigitte ressemble…* (??)
– Il ne peut pas être déplacé : *À sa sœur Brigitte ressemble.* (!!)

Le COI est généralement introduit par la **préposition *à*** ou la **préposition *de***.
On peut dire que cette préposition fait partie du sens du verbe :
*Ressembler **à** quelqu'un. Parler **de** quelque chose / **de** quelqu'un.*

3. Les formes de COI

Préposition + GN (p. 9-4)	*Il pense **à ses vacances**.*
Préposition + Pronom personnel disjoint (p. 30-2)	*Il pense **à toi**.*
Pronom personnel (p. 31-4, 33-3)	*Je **lui** parle. Elle **en** parle. Il **y** pense.*
Préposition + Infinitif nominal (p. 61-4)	*Il envisage **de partir** demain.*
Préposition + Pronom démonstratif / possessif (p. 34, 36)	*Il parle **de ça / du mien**.*
Préposition + Pronom indéfini (p. 38-39)	*Il parle **de tout** et **de rien**.*
Subordonnée relative sans antécédent (p. 93-5)	*Je pense **à ce que tu m'as dit**.*

56. LES COMPLÉMENTS DIRECTS ET INDIRECTS DE VERBE

Certains verbes doivent être suivis d'un complément direct ou indirect qui ressemble à un complément circonstanciel :
– expression d'un lieu : *Il va à Lyon. Il vient de Toulouse.*
– expression d'une mesure : *La feuille mesure 23 cm de long.*
– expression d'une masse : *Jean pèse 45 kilos.*
Mais ces compléments sont indispensables au sens du verbe et ils ne peuvent pas être déplacés. Ce sont **des compléments de verbe,** il font partie du GV.
– Complément direct de verbe :
Ce livre <u>*coûte*</u> ***30 F*** *.*
– Complément indirect de verbe :
Brigitte <u>*va*</u> ***à Strasbourg*** *lundi.*

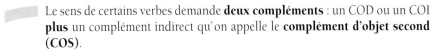

57. LE COMPLÉMENT D'OBJET SECOND

1. Définition

Le sens de certains verbes demande **deux compléments** : un COD ou un COI **plus** un complément indirect qu'on appelle le **complément d'objet second (COS)**.

Le COS est un complément de verbe. Il fait partie du GV :
GV = V + COD + COS
 *J'ai appris ton succès **à Paul**.*
GV = V + COI + COS
 *J'ai parlé de ton projet **à mes amis** ce matin.*

2. Comment reconnaître le COS ?

On rencontre le COS après deux modèles de verbes. Les verbes du modèle de *dire* et les verbes du modèle de *donner*.
 – **Dire quelque chose à quelqu'un :** *annoncer, apprendre, crier, demander, écrire, enseigner, indiquer, interdire, ordonner, promettre, raconter, révéler, signaler…*
 – **Donner quelque chose à quelqu'un :** *accorder, acheter, apporter, emprunter, envoyer, fournir, laisser, livrer, montrer, offrir, porter, prendre, prêter, rendre…*

3. Les constructions

 – Généralement, le COS suit le complément d'objet :
 *J'ai parlé de mes projets **au professeur**.*
 – L'ordre peut parfois être inversé :
 *J'ai parlé **au professeur** de mes projets.*

> • Il ne faut pas que l'ordre COS + objet donne une phrase ambiguë :
> *J'ai parlé de mon frère **au voisin**.* Plutôt que : *J'ai parlé au voisin de mon frère.*
> • La place des pronoms COD, COI et COS est commandée par des règles (p. 33-4).

4. Les formes du COS

Préposition + GN (p. 9-4)	*Il parle du devoir **à la déléguée de classe**.*
Pronom personnel (p. 31-4, 33-3)	*Il **lui** en parle.*
Préposition + pronom (p. 73-3)	*Il ne prête ses affaires **à personne**.*

Attention

Le COS est parfois appelé *complément d'attribution*. Cette appellation convient pour une phrase comme : *J'ai donné un disque **à Agnès**.* Mais elle ne convient pas pour : *J'ai emprunté un disque à Agnès.*

58. LES ATTRIBUTS

1. L'attribut du sujet

L'attribut du sujet désigne une qualité, une manière d'être, une propriété qui est « **attribuée » au sujet par l'intermédiaire d'un verbe.**

L'attribut du sujet fait partie du GV : GV = V + attribut.
Le ciel est **bleu.**

2. La place de l'attribut du sujet

La règle générale est que l'attribut du sujet suit le verbe.

Quelques attributs précèdent le verbe :
– l'adjectif interrogatif *quel* (p. 18) : **Quel** *est ton nom ?*
– un pronom interrogatif (p. 37) : **Qui** *êtes-vous ?*
– un pronom personnel : *Je suis content. Je* **le** *suis vraiment.*
– le pronom indéfini *tel* (p. 39) : **Telle** *est mon idée.*

> Dans l'usage soutenu, l'attribut peut précéder le verbe des phrases exclamatives (p. 102-3) : **Magnifique** *est cette musique !* **Maladroit** *que tu es !*

3. Comment reconnaître l'attribut du sujet ?

Dans la majorité des cas, l'attribut du sujet est employé avec les verbes qu'on appelle des **verbes d'état :** *être, sembler, paraître, devenir, avoir l'air,* etc.

Le GV verbe + attribut dit comment est le sujet, dans quel « état » il est.

Beaucoup de verbes d'action peuvent être employés avec le sens d'un verbe d'état. Ils introduisent alors eux aussi un attribut du sujet :

Verbe d'action	Verbe d'état + attribut
Le soleil paraît à l'horizon.	**Il** *paraît* **malade.**
Il est tombé dans le fossé.	**Il** *est tombé* **malade.**
Elle est arrivée hier.	**Elle** *est arrivée* **essoufflée.**
Elle a vécu au XVIᵉ siècle.	**Elle** *a vécu* **heureuse.**

• Ne pas confondre les deux emplois de la construction *avoir l'air* (voir page 25).
• L'emploi de la question « quoi ? » pour trouver le COD entraîne souvent des confusions entre le COD et l'attribut :
    Annie regarde le ciel → Elle regarde quoi ? *le ciel* = COD.
    Annie est institutrice. → Elle est quoi ? *institutrice* = ... COD !! Non : attribut !

Pour éviter cette erreur, il faut bien faire attention au verbe et comprendre que **l'attribut et le sujet renvoient au même être ou à la même chose. D'où l'accord !**

4. Les formes de l'attribut du sujet

Adjectif qualificatif (p. 25-3)	*Le ciel est* **gris**. *Les nuages étaient* **blancs**.
GN (p. 9-3)	*Mon frère est* **garagiste**. *Mes deux frères sont* **garagistes**.
GP (p. 73-4) exprimant une qualification	*Ce panier est* **en osier**.
Adjectif interrogatif (p. 18)	**Quelle** *est ton idée ?*
Pronom interrogatif (p. 37)	**Qui** *sont ces gens ?*
Infinitif nominal (p. 61-4)	*Souffler n'est pas* **jouer**. *Mon idée était* **de partir**.
Subordonnée complétive (p. 89-6)	*Mon idée est* **que tu te trompes**.

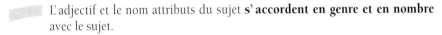 L'adjectif et le nom attributs du sujet **s'accordent en genre et en nombre** avec le sujet.

5. L'attribut du complément d'objet

* **L'attribut du complément d'objet** désigne une qualité, une manière d'être, une propriété qui est **« attribuée » au complément d'objet par l'intermédiaire d'un verbe transitif.**

* L'attribut du complément d'objet fait partie du GV :
GV = V + COD + attribut   *La classe a élu Agnès* **déléguée.**

* L'attribut du complément d'objet **s'accorde en genre et en nombre** avec le complément d'objet.

> Il faut faire attention au cas où le COD est un pronom :
> *La classe a élu Agnès déléguée.* → *La classe* **l'**a élu**e** délégu**ée**.
> *Je crois les élèves fatigués.* → *Je* **les** *crois fatigu***és**.

6. La construction de l'attribut du complément d'objet

* Certains verbes demandent un adjectif comme attribut du complément d'objet : *avoir, croire, estimer, juger, rendre, traiter de, trouver…*
Jean a les yeux **noirs**. *Je crois Jean* **stupide**.
*Elle a traité sa sœur d'***imbécile** ! *Je trouve ce film* **très réussi**.

* D'autres verbes demandent un GN : *avoir pour, avoir comme, prendre pour, prendre comme, élire, nommer, proclamer…*
Elle a pris son frère comme **entraîneur**. *L'arbitre a proclamé Marc* **vainqueur**.

* Les verbes *considérer comme, déclarer…* admettent les deux formes.
Je considère Jean comme **incapable de bien jouer**.
Je considère Jean comme **un très bon joueur**.

> • Quand l'adjectif est **attribut du COD**, le complément peut devenir un pronom séparé de son attribut :
> *Il a les yeux noirs* → *Il les a noirs.*
> • Quand l'adjectif est **épithète du COD**, la séparation est impossible :
> *Il a le vélo bleu* → *Il l'a bleu. (??)*

59. LES SUBORDONNÉES COMPLÉTIVES

1. Les constructions

Les propositions **subordonnées complétives** sont introduites par la conjonction de subordination *que* (p. 72).

Le plus souvent, la subordonnée complétive est complément d'un mot :
– un verbe transitif (p. 82-2) : *Je sais* **qu'il viendra.**
– un verbe impersonnel (p. 45-2) : *Il faut* **qu'il vienne.**
– un adjectif (p. 24-2) : *Je suis content* **que tu viennes.**
– un nom comme *idée, sentiment, espoir,* etc. : *L'idée* **qu'il viendra** *me plaît.*

✳ Parfois, la subordonnée complétive ne complète aucun mot. Elle peut être :
– sujet : **Que tu croies ces racontars** *me fait de la peine.*
– attribut : *Son opinion est* **que tout ira bien.**

2. La complétive complément d'un verbe transitif

C'est l'emploi le plus courant de la proposition subordonnée complétive :
GV = V + Subordonnée complétive COD
  Paul croit **que tu as raison.**

Proposition principale : *Paul croit.*
Proposition subordonnée complétive, COD du verbe *croire : que tu as raison.*

✳ Quand le verbe de la principale exprime une déclaration, une certitude, une probabilité, le verbe de la subordonnée complétive est **à l'indicatif** :
  J'affirme / Je sais / Je crois **qu'il viendra.**

✳ Quand le verbe de la principale exprime un souhait, un doute, un ordre, le verbe de la subordonnée complétive doit être **au subjonctif** (p. 58-3) :
  Je souhaite / Je doute / Je veux **qu'il vienne.**

✳ À la forme négative et dans les phrases interrogatives, quelques verbes peuvent être suivis du futur simple de l'indicatif ou bien du subjonctif présent. Le futur est neutre, il exprime simplement l'action. Le subjonctif exprime l'**éventualité de l'action** (p. 58-3) :
  Je ne pense pas qu'il viendra.   Il ne viendra pas. J'en suis presque sûr.
  Je ne pense pas qu'il vienne.   Mais… tout est possible.
  Crois-tu qu'il viendra ? / qu'il vienne ?

• Après un verbe déclaratif, la subordonnée complétive appartient au discours rapporté indirect (p. 107-3) : *Il a dit* **qu'il viendrait.**

• Dans l'usage soutenu, après des verbes comme *craindre, douter, empêcher que, de peur que,* on emploie un *ne* « explétif » dans la complétive (p. 105-5) :
Je crains qu'il **ne** *vienne. Surveille-le de peur qu'il* **ne** *fasse une bêtise.*

3. La complétive après un verbe impersonnel

Après un verbe impersonnel (p. 45-2) de devoir, d'ordre…, le verbe de la proposition subordonnée complétive est toujours **au subjonctif** :
*Il faut **que tu viennes**. Il importe **que nous partions dès demain**.*

4. La complétive complément d'un adjectif ou d'un nom

✳ Le mode du verbe de la proposition subordonnée complétive dépend du sens du mot qu'elle complète.

✳ Après un adjectif ou un nom exprimant une certitude, un savoir, le verbe de la subordonnée complétive est **à l'indicatif** :
*Je suis certain **qu'il viendra**. J'ai la preuve **qu'il est venu**.*

✳ Après un adjectif ou un nom exprimant un doute, un souhait, un ordre, un sentiment, le verbe de la subordonnée complétive est **au subjonctif** :
*Je suis content **qu'il vienne**. Je fais le souhait **qu'il vienne**.*

5. La complétive sujet

✳ La subordonnée complétive sujet est en tête de phrase et elle est toujours au **subjonctif**. Cette construction appartient à l'usage soutenu :
***Que Paul vienne** m'étonnerait beaucoup.*
Subordonnée complétive, sujet du verbe *ennuyer : Que Paul vienne.*

6. La complétive attribut du sujet

✳ La subordonnée complétive peut être attribut du sujet :
*Mon opinion est **que tout ira bien**.*
Subordonnée complétive, attribut du sujet *mon opinion : que tout ira bien.*

✳ La subordonnée complétive attribut se met **à l'indicatif** ou **au subjonctif** selon le sens de la principale :
*Mon opinion / Mon impression est **que tout ira bien**.*
*Mon souhait / Mon désir est **que tout aille bien**.*
*Mon idée est **que tout ira bien**.*　　*Je dis que tout ira bien.*
*Mon idée est **que tout aille bien**.*　　*Je ferai en sorte que tout aille bien.*

Attention **aux emplois de** *que* **après un nom !**

• *L'idée que tu as eue est intéressante.*
Que est pronom relatif (p. 90). *Idée* est son antécédent. **Dans la subordonnée relative,** *que* **est COD du verbe** *avoir.*

• *L'idée que tu viennes me réjouit.*
Après des noms comme *idée, pensée, sentiment, espoir, opinion,* etc., *que* peut être conjonction de subordination (p. 72). Il introduit une proposition subordonnée complétive. **Il n'a pas de fonction dans la complétive.**

60. LES PRONOMS RELATIFS

1. Définitions

Le pronom relatif joue trois rôles.
- C'est un **mot subordonnant** : il introduit une subordonnée relative.
- C'est un **pronom** : il représente un nom qu'on appelle son antécédent.
- **Il a une fonction syntaxique dans la proposition subordonnée relative.**
  *Le train **qui part** va à Lille.*
  - *Qui* introduit la subordonnée relative *qui part.*
  - *Qui* a pour antécédent *train.*
  - *Qui* est sujet du verbe *partir.*

* Quand le pronom relatif n'a pas d'antécédent, on dit que la proposition est une proposition **subordonnée relative sans antécédent**. Elle remplit les mêmes fonctions qu'un nom (p. 93-5). Par exemple, elle peut être sujet :
  Qui veut aller loin *ménage sa monture.* *Qui* n'a pas d'antécédent.

2. Le pronom relatif simple *qui*

Qui est toujours sujet du verbe de la relative.
  *Le joueur **qui a marqué le but** saute de joie.*
  - Subordonnée relative : *qui a marqué le but.*
  - Antécédent de *qui* : *le joueur.*
  - *Qui* est sujet de *a marqué.*

Dans les subordonnées relatives introduites par *à qui, de qui, pour qui, avec qui…*, le pronom relatif *qui* est complément indirect :
  *Je connais la fille **à qui tu parlais**.* *Qui* est COI de *parlais.*

3. Le pronom relatif simple *que*

Que est généralement COD du verbe de la relative.
  *Le joueur **que je connais** a bien joué.*
  - Subordonnée relative : *que je connais.*
  - Antécédent de *que* : *le joueur.*
  - *Que* est COD de *connais.*

Que peut être attribut : *J'ai changé ! L'élève **que j'étais** n'existe plus.*

4. Le pronom relatif simple *dont*

Dont peut remplir différentes fonctions dans la relative : complément de nom ou d'adjectif, COI ou complément d'agent.
  *Le train **dont on annonce le départ** va à Lille.*
  - Antécédent de *dont* : *le train.*
  - *Dont* est complément du nom *départ* (le départ *de* ce train).
  *Le train **dont je t'ai parlé** part à midi.*
  - Antécédent de *dont* : *le train.*
  - *Dont* est COI du verbe *parler* (je t'ai parlé *de* ce train).

5. Le pronom relatif simple *où*

Où est généralement complément de lieu. Son antécédent doit être un nom non animé.

*La gare **où il arrive** est la gare du Nord.*
– Subordonnée relative : *où il arrive.*
– Antécédent de *où* : *la gare.*
– *Où* est complément circonstanciel de lieu (il arrive *dans* cette gare).

Où peut aussi être complément de temps :
*N'oublie pas l'heure **où nous partons** !*

6. Le pronom relatif simple *quoi*

* – **Quoi** appartient à l'usage soutenu. Il s'emploie toujours avec une préposition : *à quoi, avec quoi, sur quoi*, etc. Il est complément indirect dans la proposition subordonnée relative. Son antécédent doit être un nom non animé :
*C'est le livre **à quoi je pensais**.*
– L'usage courant emploie les pronoms relatifs composés :
*C'est le livre **auquel je pensais**.*

7. Les pronoms relatifs composés

Les formes des relatifs composés sont variables en genre et en nombre :

singulier	**masculin**	lequel	duquel	auquel
	féminin	laquelle	de laquelle	à laquelle
pluriel	**masculin**	lesquels	desquels	auxquels
	féminin	lesquels	desquelles	auxquelles

Ils sont généralement **compléments indirects**. Ils ont le même sens que des expressions construites avec une préposition et un pronom relatif simple :
– *Je ne connais pas la personne **à laquelle il parle**.* = à qui
– *C'est le projet **auquel je travaille**.* = à quoi

Lequel peut être sujet dans l'usage soutenu :
Il portait une valise et un sac, lequel semblait très lourd.

8. Les pronoms relatifs indéfinis

* *Quiconque, qui que, quoi que, qui que ce soit qui / que, quoi que ce soit qui / que,* introduisent des relatives sans antécédent :
Quiconque dit cela *est un menteur.* **Quoi que je dise**, *il me donne tort.*

Attention **à ne pas confondre les pronoms !**
• *Le train qui arrive vient de Bordeaux.*   *Qui* : pronom relatif (= le train).
• *Qui est arrivé ?*   *Qui* : pronom interrogatif (p. 37).
• Pour les différents *que*, voir p. 72 et p. 89-Attention !
• Pour *ou* et *où*, voir p. 71-Attention !

61. LES SUBORDONNÉES RELATIVES

1. Les propositions subordonnées relatives avec antécédent : définition

Les **subordonnées relatives avec antécédent** sont introduites par :
– les pronoms relatifs simples : *qui, que, dont, où, quoi* (p. 90, 91) ;
– les pronoms relatifs composés : *lequel, duquel, auquel*, etc. (p. 91).

On appelle parfois les propositions subordonnées relatives avec antécédent les *subordonnées relatives adjectives*. Ce nom leur convient parce que ces relatives remplissent des fonctions qui sont celles des adjectifs qualificatifs (p. 25).

2. La subordonnée relative épithète

La **subordonnée relative épithète** fait partie du GN (p. 9-3) :
GN = N + Subordonnée relative épithète.
Elle donne une information indispensable pour comprendre le sens de l'antécédent :

> Le train **qui arrive** vient de Lyon.

Proposition subordonnée relative, épithète de l'antécédent *train* : *qui arrive*.

On peut rapprocher trois constituants complémentaires du GN :
– **relative épithète** : *Le vent **qui souffle** secoue les arbres.*
– **adjectif épithète** (p. 78-1) : *Le vent **violent** secoue les arbres.*
– **complément du nom** (p. 79-1) : *Le vent **du nord** secoue les arbres.*

Le verbe de la relative se met **au subjonctif** (p. 59-4) :
– pour exprimer un souhait, un doute, une intention :
> Je **cherche** un livre **qui puisse** m'expliquer la grammaire.

– après un adjectif au comparatif généralisé (p. 26-3) :
> C'est le film l**e plus réussi que je connaisse** !

– après une construction restrictive (p. 104-3) :
> Je **ne** connais **que** ce garagiste **qui puisse** nous dépanner.

3. La subordonnée relative épithète détachée

La **subordonnée relative épithète détachée** fait partie du GN (p. 9-3) :
GN = N + Subordonnée relative épithète détachée.
Elle est parfois appelée **relative explicative**, parce qu'elle exprime une sorte de commentaire ajouté à l'antécédent. Par exemple :
– une cause :
> Le train de Lyon, **qui a du retard**, arrivera à midi.

– une précision descriptive :
> Le train de Lyon, **qui est un TGV**, arrivera à midi.

• On peut rapprocher deux constituants complémentaires du GN :
– **relative en position détachée** : *Le train, **qui avait du retard**, arrivera à midi.*
– **adjectif épithète détachée** (p. 78-2) : *Le train, **retardé**, arriva à midi.*

---

4. La subordonnée relative attribut du complément d'objet

* La **relative attribut du complément d'objet** fait partie du GV (p. 87-5) :
GV = V + COD + Relative attribut du COD   *J'entends Paul* **qui arrive**.
Proposition subordonnée relative, attribut du COD *Paul : qui arrive.*

* On peut avoir une relative attribut du COD après le verbe *avoir*, des verbes de perception *(voir, entendre)*, ou des verbes comme *trouver, surprendre...*
J'ai le cœur **qui bat.** *Agnès a entendu Paul* **qui criait.**

5. La subordonnée relative sans antécédent

* Les **subordonnées relatives sans antécédent** peuvent être introduites par :
– un pronom relatif simple : **Qui dort** *dîne.*
– un pronom relatif indéfini : **Qui que tu sois,** *tu es le bienvenu.*

> On peut dire que l'antécédent fait partie du pronom relatif lui-même.

– un groupe démonstratif + pronom relatif :
Ceux qui ont fini *peuvent sortir.*
Cette veste est **celle que je veux.**

> • Dans le premier cas, *ceux* n'est pas un pronom représentant (p. 30-1)
> Dans le second cas, *celle* représente *cette veste.*
> • Mais dans les deux cas, le démonstratif et le relatif forment un groupe, et on peut dire que l'antécédent du relatif fait partie de ce groupe.

* On appelle parfois les propositions subordonnées relatives sans antécédent les *subordonnées relatives nominales* ou *substantives*. Ce nom leur convient parce que ces relatives ont des fonctions qui sont celles des GN (p. 9-4) :
– sujet : **Qui peut le plus,** *peut le moins.*
– attribut : *Cette veste est* **celle que je veux.**
– complément d'objet : *J'ai acheté* **ce que tu m'as demandé.**
– complément circonstanciel : *Je me suis habillé* **avec ce que j'ai trouvé.**

> Quand elle est complément d'objet, la subordonnée relative sans antécédent peut se mettre à l'infinitif : *J'ai trouvé* **qui appeler.** *Il n'y a pas* **de quoi rire.**

 aux accords !

• Le pronom relatif sujet *qui* transmet au GV de la relative le genre et le nombre de l'antécédent :
J'aime **cette musique** *qui est si* **rythmée.**   musique → qui → rythmée.
Le jardinier examine **les fleurs** *qui semblent* **fanées.**   fleurs → qui → fanées.

• Quand l'antécédent de *qui* est un pronom personnel, le pronom relatif *qui* transmet au verbe de la relative la personne de l'antécédent :
C'est **moi** *qui* **suis** *venu.*   moi → qui → suis venu.
C'est **elle** *qui* **est** *venue.*   elle → qui → est venue.

• Le pronom relatif *que* est COD du verbe de la relative. Le participe passé conjugué avec *avoir* s'accorde avec le COD *que* (p. 65), donc avec l'antécédent de *que* :
J'ai lu **les livres que** *tu as* **apportés.**   livres → que → apportés.
J'ai vu **les cassettes** *vidéos* **que** *tu as* **apportées.**   cassettes → que → apportées.

93

62. LES SUBORDONNÉES CIRCONSTANCIELLES DE TEMPS

1. Les conjonctions de temps *quand* et *lorsque*

Les conjonctions de subordination **quand** et **lorsque** n'ont pas un sens temporel précis. Le sens de la phrase dépend du temps du verbe de la subordonnée et du temps du verbe de la principale.
– Les deux actions ont lieu en même temps :
Quand il fait beau, *je vais me promener.*
– L'action du verbe de la subordonnée se passe avant :
Quand j'aurai fini, *j'irai me promener.*
– L'action du verbe de la subordonnée se passe après :
Quand il est arrivé, *le match était fini.*

2. Les autres conjonctions de temps

❋ Si les deux actions se déroulent **en même temps**, on emploie : *comme, au moment où, aussitôt que, sitôt que, en même temps que, tandis que, pendant que, cependant que, aussi longtemps que, tout le temps que, tant que, au fur et à mesure que, à mesure que.* Les locutions *chaque fois que* et *toutes les fois que* expriment en plus une répétition.
*Il a rangé la chambre **tandis que / pendant que** je nettoyais le couloir.*
*Je suis sorti **comme / au moment où** il pleuvait.*
*Je vais à la piscine découverte **chaque fois qu'**il fait beau.*

❋ Si l'action du verbe de la circonstancielle de temps se passe **avant** l'action du verbe de la principale, on emploie : *après que, depuis que, dès que, aussitôt que, sitôt que…* (+ aspect accompli).
*Il a rangé la chambre **après que / dès que** tu es parti.*
*La nuit viendra **aussitôt que** le soleil aura disparu.*

❋ Si l'action du verbe de la subordonnée circonstancielle de temps se passe **après**, on emploie : *avant que, jusqu'à ce que, en attendant que* (+ subjonctif), *jusqu'au moment où* (+ indicatif).
*Il a rangé la chambre **avant que / en attendant que** tu sois là.*
*Je me suis promené **jusqu'au moment où** il a plu.*

3. L'emploi des modes

Le verbe de la subordonnée circonstancielle de temps se met **à l'indicatif** quand il exprime une action qui a eu lieu, qui a lieu ou qui aura lieu :
*Il est sorti **après qu'il a reçu un coup de téléphone.***
***Quand il fera beau**, je sortirai.*

Le verbe de la subordonnée circonstancielle de temps se met **au subjonctif** quand il exprime une action qui est encore éventuelle au moment de la principale :
*Il sortira **avant que tu reçoives ton coup de téléphone.***
*Je me suis promené **jusqu'à ce qu'il fasse mauvais temps.***

63. LES SUBORDONNÉES CIRCONSTANCIELLES DE CAUSE

1. Les conjonctions et les locutions conjonctives de cause

– ***Parce que*** présente une cause que l'interlocuteur ne connaît pas encore :
*Paul n'est pas venu **parce qu'il est malade**.*

– ***Puisque*** rappelle une cause qui est déjà connue :
*Paul n'est pas venu **puisqu'il est malade**.*

– Pour présenter une cause, ***comme*** doit toujours être en tête de phrase :
***Comme il est malade,** il n'a pas pu venir.*

* ***Sous prétexte que, sous le prétexte que*** présentent une cause qui est jugée discutable par l'énonciateur (p. 101-1) :
*Il n'est pas venu **sous prétexte qu'**il était malade. En fait, il allait bien !*

* – ***Non que, non pas que*** nient la cause présentée :
*Il n'est pas venu, **non qu'**il soit malade, mais il a eu un empêchement.*

– ***Sans que*** évoque un fait qui n'a pas eu lieu :
*Il est venu **sans que** je le prévienne.*

– ***Soit que... soit que...*** présente une alternative :
*Il n'est pas venu, **soit qu'**il soit malade, **soit qu'**il ait eu un empêchement.*

> ***Vu que, attendu que*** appartiennent à la langue administrative et à la langue du droit :
> *Attendu qu'il n'y a pas de preuves, l'accusé est déclaré innocent.*

2. L'emploi des modes

Le verbe de la proposition subordonnée de cause est à **l'indicatif** quand la cause est présentée comme réelle, même si on la discute :
*Il fait la sieste **parce que / puisque / sous prétexte qu'**il fait trop chaud.*

* Le verbe de la subordonnée de cause se met au **subjonctif** quand la cause est niée ou éventuelle :
*Il fait la sieste, **non qu'il fasse trop chaud,** mais parce qu'il s'est couché tard.*

> • Les **propositions subordonnées participes** placées en tête de phrase (p. 62-2 et 64-2) ont une valeur de cause : ***La nuit venue / venant,** il partit sans être vu.*
> • **L'adjectif** ou la **relative épithète détachée** (p. 78-2 et 92-3) ont souvent une valeur de cause : *Le coureur, **épuisé / qui était épuisé,** titubait.*
> • Le **gérondif** (p. 63) peut avoir une valeur de cause : ***En poussant le bouton,** il mit l'appareil en marche.*

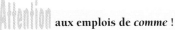 **aux emplois de *comme* !**

Comme il pleut, je reste ici.	Conjonction de cause.
Je suis arrivé comme il partait.	Conjonction de temps (p. 94-2).
J'ai rangé le tiroir comme tu le voulais.	Conjonction de comparaison (p. 100).
Il dort comme un loir.	Adverbe de comparaison (p. 68-4).
Comme il est grand !	Adverbe exclamatif (p. 68-5 et 102-3).

64. LES SUBORDONNÉES CIRCONSTANCIELLES DE CONDITION (I)

1. La condition introduite par *si* est située dans le moment présent

S'il y avait un bon film, nous irions au cinéma.

– La subordonnée de condition est à l'imparfait de l'indicatif :

S'il y avait un bon film…

Pourtant la condition est située dans le moment présent !

→ L'imparfait exprime ici un **présent irréel**, c'est-à-dire une condition qui n'est pas réalisée (p. 51-4) : il n'y a pas de bon film à voir !.

– La proposition principale est au conditionnel présent :

… nous irions au cinéma.

→ Elle exprime une simple **éventualité** : « ce qui pourrait se réaliser si… » et qui ne se réalise pas.

S'il y avait un bon film, nous serions déjà allés au cinéma !

– La subordonnée de condition est à l'imparfait. Comme dans le cas précédent, elle pourrait exprimer un présent irréel.

– Mais la principale est au conditionnel passé. Elle concerne le passé, elle exprime « ce qui se serait passé si… ».

→ On voit donc que la condition exprimée dans la subordonnée ne concerne pas uniquement le moment présent. Elle concerne un présent plus étendu : il y a déjà quelque temps qu'il n'y a pas de bon film à voir.

2. La condition introduite par *si* est située dans le passé

S'il y avait eu un bon film, nous serions allés au cinéma.

– La subordonnée de condition est au plus-que-parfait de l'indicatif :

S'il y avait eu un bon film…

→ La subordonnée exprime ici un **passé irréel** : on constate que la condition n'a pas été réalisée : il n'y a pas eu de bon film.

– La proposition principale est au conditionnel passé :

… nous serions allés au cinéma.

→ La principale exprime « ce qui se serait passé si… »

S'il y avait eu un bon film, nous irions au cinéma.

– La subordonnée de condition est au plus-que-parfait de l'indicatif. Comme dans le cas précédent, elle pourrait exprimer un passé irréel.

– Mais la principale est au conditionnel présent. Elle concerne le présent, elle exprime « ce qui pourrait se réaliser si… ».

→ On voit donc que la condition exprimée dans la subordonnée ne concerne pas uniquement le passé. Elle prolonge son effet dans le présent.

L'emploi de deux plus-que-parfait du subjonctif (p. 59-7) appartient à un usage ancien : *S'il eût réussi, il eût été heureux.*

3. La condition introduite par *si* est située dans l'avenir

Dans l'usage courant, la conjonction *si* n'est jamais suivie du futur ni du conditionnel. Le français utilise l'imparfait ou le présent pour parler de… l'avenir !

Si demain il y avait un bon film, nous irions au cinéma.
La subordonnée de condition est à l'imparfait, la proposition principale est au conditionnel présent : on a la même construction que pour exprimer une condition dans le moment présent ! (p. 96-1.)
→ Le complément circonstanciel de temps est donc indispensable. C'est lui qui situe la phrase dans l'avenir : *ce soir, demain, dimanche…*

S'il y a un bon film, nous irons au cinéma.
La subordonnée de condition est au présent de l'indicatif. Elle n'est pas explicitement située dans le moment présent (p. 48-1).
→ Le futur de la proposition principale situe la phrase dans l'avenir. Il peut être précisé par un complément de temps : *demain, samedi prochain…*

S'il y a un bon film ce soir, nous allons au cinéma.
– La subordonnée de condition est au présent de l'indicatif.
→ Sa situation dans l'avenir est donnée par le complément circonstanciel de temps : *ce soir, demain, dimanche….*
– Le présent de la principale donne l'impression que l'action est déjà en train de s'accomplir (p. 48-1).

4. Les autres emplois de conjonction de condition *si*

Si on pose sa main sur un métal chaud, on risque de se brûler gravement.
– Les deux verbes sont au présent. Le sens de la phrase montre qu'il s'agit d'un **présent permanent** (p. 48-2).
– La phrase exprime un enchaînement logique.

S'il y a un bon film, nous allons au cinéma.
– Les deux verbes sont au présent. Le sens de la phrase montre qu'il ne s'agit pas d'un présent permanent, mais d'un **présent de répétition** (p. 48-2).
– La phrase exprime une habitude : « Chaque fois qu'il y a un bon film, nous allons au cinéma ».

S'il y avait un bon film, nous allions au cinéma.
– Les deux verbes sont à l'imparfait de répétition (p. 50-2).
– La phrase exprime une habitude située dans le passé : « Chaque fois qu'il y avait un bon film, nous allions au cinéma ».

Attention **aux différents emplois de si !**
Si je le pouvais, je jouerais au rugby. Conjonction de condition.
Si rapide qu'il soit, il n'a pas gagné. Si… que : conjonction de concession (p. 100).
Je ne sais pas si j'irai. Conjonction + sub. interrogative indirecte (p. 107-3).
Ce film est si beau ! Adverbe d'intensité (p. 68-2).
Tu ne viendras pas ? – Si. Adverbe de phrase (p. 68-4, 103-6).

65. LES SUBORDONNÉES CIRCONSTANCIELLES DE CONDITION (II)

1. *Si... et si... ; si... et que...*

* Quand des subordonnées de condition introduites par **si** sont coordonnées (p. 75-4), on peut avoir deux constructions différentes.
  – **Si... et si** + indicatif... :
    *Si j'avais le temps **et si** la piscine **était** moins loin, j'irais souvent nager.*
  – **Si... et que** + subjonctif :
    *Si j'avais le temps **et que** la piscine **soit** plus proche, j'irais souvent nager.*

2. Les locutions conjonctives construites avec *si*

Même si, sauf si, excepté si, comme si s'emploient avec les mêmes temps que la conjonction si (p. 96-97).
  – *Même si* exprime une condition et une opposition (p. 100) :
    *Nous n'irions pas au cinéma, **même s'il y avait un bon film**.*
  – *Sauf si, excepté si* expriment une condition et une restriction :
    *Nous n'irons pas au cinéma, **sauf s'il y a un bon film**.*
  – *Comme si* exprime une condition et une comparaison (p. 100) :
    *Il parle des films **comme s'il les avait tournés lui-même**.*

3. Les autres locutions conjonctives de condition

* *Selon que, suivant que* introduisent une subordonnée de condition à l'indicatif et qui ne peut pas être suivie d'une principale au conditionnel :
    *Selon que tu seras en avance ou en retard**, nous irons à pied ou en métro.*

* *Au cas où* introduit une subordonnée de condition qui doit être au conditionnel présent ou au conditionnel passé :
    *Au cas où il téléphonerait**, je laisse mon adresse.*

* *Que, pourvu que, pour peu que, en supposant que, en admettant que, à supposer que, à moins que,* introduisent une subordonnée de condition qui doit être au subjonctif :
    *Qu'il vienne**, je lui expliquerai le problème.*
    *Pour peu qu'il pleuve**, la fête n'aura pas lieu en plein air.*
    *Je pars demain **à moins qu'il ne pleuve**.*

* **Quand** est conjonction de condition si la subordonnée conditionnelle et la proposition priniciale sont toutes les deux au conditionnel présent ou passé. Cette construction appartient à l'usage soutenu :
    Quand tu m'offrirais des millions, je dirais non. = Même si tu m'offrais...

> On peut aussi exprimer une relation de condition avec deux propositions juxtaposées (p. 75-4) au conditionnel :
> *Tu m'aurais prévenu**, je serais venu te chercher à la gare.*

66. LES SUBORDONNÉES CIRCONSTANCIELLES DE CONSÉQUENCE

1. Les locutions conjonctives

✳ Quand la conséquence dépend du verbe de la proposition principale, on emploie les locutions conjonctives : **si bien que, de (telle) manière que, de (telle) sorte que, de (telle) façon que, sans que, en sorte que.**
> Il a téléphoné après mon départ, **si bien que je n'ai pas pu répondre**.

✳ Quand la conséquence dépend d'une intensité qui concerne le verbe de la principale, on emploie des locutions conjonctives : **au point que, à un tel point que, tant que, tellement que, trop pour que, assez pour que.**
> Je tremble **tellement que je suis incapable d'écrire**.
> Il a **tant** couru **qu'il est hors d'haleine**.

✳ Quand l'intensité concerne un autre mot de la principale, on emploie des locutions conjonctives qui encadrent le mot : **si... que, trop... pour que, assez... pour que, tellement... que, tant... que, tel... que, trop de... pour que.**
> Brigitte est **si** contente **qu'elle saute de joie**.

2. L'emploi des modes

✳ Si la conséquence est simplement **constatée**, la subordonnée est à **l'indicatif** :
> Il est sorti plus tôt, **si bien que je n'ai pas pu le voir**.

✳ Si la conséquence est une **éventualité**, la subordonnée est au **subjonctif** :
> Il est sorti **sans que je puisse le voir**.

> Quand le verbe de la principale et le verbe de la subordonnée ont le même sujet, la subordonnée est parfois remplacée par un **infinitif nominal** complément circonstanciel de conséquence (p. 61-4) : Je suis sorti **sans le voir**.

67. LES SUBORDONNÉES CIRCONSTANCIELLES DE BUT

✳ On emploie **pour que, afin que, de peur que, de crainte que...** Le verbe de la subordonnée circonstancielle de but est toujours au subjonctif :
> Je l'aide **pour qu'il finisse son travail ce soir**.

> Quand le verbe de la principale et le verbe de la subordonnée ont le même sujet, la subordonnée est remplacée par un **infinitif nominal** complément circonstanciel de but (p. 61-4) : Je me dépêche **pour finir mon travail ce soir**.

Attention il est souvent difficile de distinguer conséquence et but !
Je suis placé de manière qu'il peut me voir. Simple conséquence.
Je suis placé de manière qu'il puisse me voir. Éventualité, d'où le subjonctif.
Je me suis placé de manière qu'il puisse me voir. Intention exprimée, but.

68. LES SUBORDONNÉES CIRCONSTANCIELLES D'OPPOSITION

 Il n'y a pas de conjonctions d'opposition. Dans la plupart des cas, on utilise une conjonction de temps (p. 94) et le rapport d'opposition est donné par le sens général de la phrase :

Quand je dis oui, *il dit non !*
Pendant que je travaillais, *il dormait tranquillement !*

69. LES SUBORDONNÉES CIRCONSTANCIELLES DE CONCESSION

 – Les conjonctions de concession employées dans l'usage courant sont : **quoique, bien que, malgré que** + subjonctif.
Quoique le problème soit compliqué, *il faut trouver une solution.*
– On emploie aussi : **quand bien même** + conditionnel.
Quand bien même le problème serait compliqué, *il faut trouver...*
– On peut employer également un pronom relatif indéfini (p. 91-8) :
Quoi que tu fasses, *il te critiquera !*

 Quel que, quand, quelque... que, si... que appartiennent à l'usage soutenu :
Quelle que soit mon idée, *il la trouve mauvaise !*
Quand tu me supplierais, *je ne cèderai pas.*

> Le rapport de concession est souvent exprimé par **deux propositions coordonnées par *mais*** (p. 71-5) :
> *Certes le problème est compliqué,* **mais** *il faut trouver une solution.*
> *Je vous concède que le problème est compliqué,* **mais** *il faut...*
>
> Ou par l'expression ***avoir beau*** + infinitif :
> *Le problème **a beau** être compliqué, il faut trouver une solution.*

70. LES SUBORDONNÉES CIRCONSTANCIELLES DE COMPARAISON

 Quand la comparaison dépend du verbe de la principale, on emploie : **comme, comme si, ainsi que, de même que, autant que, plutôt que** + indicatif.
*Elle est repartie **comme elle était venue**.*
*Il crie **plutôt qu'il (ne) parle**.*   Le *ne* est explétif (p. 105-5).

 Quand la comparaison porte sur un autre mot de la principale, la locution conjonctive encadre ce mot : **aussi... que, plus... que, moins... que** + indicatif.
*Elle chante **aussi** bien **qu'elle danse**.*

• **à l'orthographe de *quoique* et *quoi que* !**

Les deux expriment une concession. Mais il ne faut pas confondre *quoique* (conjonction) et *quoi que* (relatif indéfini). Exemples sur cette page, chapitre 69.

• **aux différents emplois de *comme*** (voir p. 95-Attention !).

71. L'ÉNONCIATION

1. Définitions

* – L'**énonciation** est l'acte qui consiste à employer une langue pour produire un **énoncé oral** ou **écrit**. Dans une **situation d'énonciation**, il y a un **énonciateur** qui parle ou qui écrit, et un ou plusieurs **destinataires**.
  – Le **moment de l'énonciation** est celui où l'énoncé est dit ou écrit.

2. Les énoncés de discours et les énoncés de récit

* On appelle **discours** un énoncé qui est lié directement à un énonciateur précis et à une situation d'énonciation. Pour comprendre l'énoncé, il faut connaître la situation : qui parle ? à qui ? quand ? où ?

  Je suis arrivé ici hier. Ton ami m'a conduit à l'hôtel. Je t'embrasse.

  – L'énonciateur emploie *je* ou *nous. Tu* et *vous* désignent les interlocuteurs (p. 31-3).
  – Il emploie les adverbes *maintenant, aujourd'hui, hier* et *demain.* Le lieu de l'énonciation peut être désigné par l'adverbe *ici.*
  – Il emploie tous les temps sauf le passé simple (p. 52). Le temps du passé le plus employé est le passé composé (p. 54)…

* On appelle **récit** un énoncé qui n'est pas lié à une situation d'énonciation. On a l'impression qu'il n'y a pas un énonciateur précis.

  Le soleil déclinait quand un cavalier se présenta devant le château. Il semblait épuisé. Le capitaine des gardes vint au-devant de lui et le salua.

  – On emploie uniquement les pronoms de la 3ᵉ personne.
  – On emploie : *ce jour-là, la veille, le lendemain.*
  – On peut employer tous les temps dont le passé simple. La relation imparfait/passé simple est très souvent caractéristique du récit (p. 50-3 et 52-3).

* Les énoncés sont généralement des discours avec des passages de récit (par exemple dans un dialogue), ou des récits avec des passages de dialogue (par exemple quand un narrateur dit *je* pour commenter l'histoire qu'il raconte).

3. Les interventions de l'énonciateur

* L'énonciateur peut intervenir dans son discours ou dans son récit.
  – Il le commente par un **adverbe** (p. 69-6) : **Heureusement**, *il faisait beau !*
  – Il introduit une **incise de commentaire**. À l'écrit elle est entre virgules, tirets ou parenthèses : *Nous sommes partis (**en retard !**) tous ensemble.*
  – Il interpelle l'interlocuteur par une **apostrophe** : **Paul**, *tu m'entends ?*
  – Il marque sa surprise, sa colère, son dépit, etc. par une **interjection** :
    Aïe ! Hein ? Pouah ! Zut ! Ohé ! Bah ! Bof !

Attention **aux interjections !**

Hé ! (appel) - *Eh!* (surprise, admiration) - On écrit : *Eh bien !*
Ha ! (surprise) - *Ah !* (douleur, joie) - *Ho !* (appel) - *Oh !* (surprise, douleur)
Ô, ô est une invocation suivie d'un autre mot : *Ô joie !*

72. LES TYPES DE PHRASE

1. Les types et les formes de phrase

Il y a quatre **types de phrases** : la **phrase déclarative**, la **phrase exclamative**, la **phrase impérative** et la **phrase interrogative**.

* – La phrase de type déclaratif exprime une idée, décrit quelque chose... Elle est employée dans le discours et dans le récit.
– Les autres phrases mettent en avant le rôle de l'énonciateur : il est ému (type exclamatif), il donne un ordre (type impératif), il pose une question (type interrogatif). Ces types appartiennent au discours (p. 101-2).

Chaque type de phrase peut prendre deux **formes** : la **forme positive** (ou **affirmative**) et la **forme négative** (p. 104-1).

2. La phrase déclarative

La mélodie de prononciation de la phrase de type déclaratif est montante puis descendante. À l'écrit, cette phrase se termine par un **point**.

Mes amis arrivent demain.

3. La phrase exclamative

* La mélodie de prononciation de la phrase de type exclamatif peut être montante ou plane. À l'écrit, elle se termine par un **point d'exclamation**.

Mes amis arrivent demain !   *Je ne veux pas !*

* La phrase exclamative a souvent la même syntaxe que la phrase déclarative. Elle peut aussi comporter :
– un adjectif exclamatif (p. 18) : ***Quel*** *beau chapeau il a !*
– un pronom exclamatif (p. 37) : ***Qu'est-ce qu'***il va encore imaginer !*
– un adverbe exclamatif (p. 68-4) : ***Comme*** *c'est beau !* ***Que*** *c'est beau !*

4. La phrase impérative

* La mélodie de la phrase de type impératif a un final descendant très marqué. À l'écrit, cette phrase se termine par un **point d'exclamation**.

Venez tout de suite !

* Le verbe de la phrase impérative est au mode impératif (p. 60). Mais, à la 3e personne, on emploie le subjonctif : ***Que*** *ce bruit* ***cesse*** *immédiatement !*

> D'autres types de phrases peuvent exprimer l'ordre :
> – phrase déclarative : *Vous* ***partez*** *tout de suite.*
> – phrase sans verbe (p. 74-3) : *Dehors ! Silence !*

5. La phrase interrogative

La mélodie de la phrase de type interrogatif est montante et la voix reste sus-pendue. À l'écrit, cette phrase se termine par un **point d'interrogation**.

Est-ce que tes amis arrivent demain ?

L'interrogation n'exprime pas toujours une question.
Elle peut exprimer un avertissement : *Vous me prenez pour un imbécile ?*
ou avoir une valeur de politesse : *Peux-tu m'aider, s'il te plaît ?*

6. L'interrogation totale

* Une interrogation totale est une **interrogation qui porte sur toute la phrase**.
  – Elle demande une réponse par les adverbes ***oui*** ou ***non*** :
    – *Est-ce que tu viendras ? – Oui. / Non.*
  – La forme négative (p. 105-4) demande en réponse les adverbes ***si*** ou ***non*** :
    – *Est-ce que tu ne viendras pas ? – Si. / Non.*

* L'usage soutenu demande l'ordre verbe + pronom sujet :
  Viendras-tu ? **Partirez-vous** *ensemble ?*
  ou l'ordre nom sujet + verbe + pronom sujet de rappel :
  Claire ira-t-elle *à Paris ?* **Vos amis seront-ils** *de retour à temps ?*

* L'usage courant conserve l'ordre sujet + verbe.
  L'interrogation est exprimée par la mélodie montante de l'oral et par le point d'interrogation de l'écrit :
  Tu viendras ? Claire ira à Paris ?
  – À l'oral et à l'écrit, on emploie également *Est-ce que* + sujet + verbe :
  Est-ce que *tu viendras ?* **Est-ce que** *Claire ira à Paris ?*

7. L'interrogation partielle

* Une interrogation partielle est **une interrogation qui porte sur un mot de la phrase**. Une réponse par les adverbes *oui* ou *non* est impossible :
  – *Quelle heure est-il ? – Oui (!!)*

* L'interrogation partielle comporte toujours un mot interrogatif :
  – un adjectif interrogatif (p. 18) : **Quel** *jour sommes-nous ?*
  – un pronom interrogatif (p. 37) : **Qui** *est là ?* **À quoi** *penses-tu ?*
  – un adverbe interrogatif (p. 68-4) : **Quand** *pars-tu ?* **Où** *va-t-il ?*

  L'usage oral courant place le mot interrogatif à la fin de la phrase :
  Tu penses à quoi ? Tu pars quand ? Tu vas où ?

* L'interrogation partielle peut porter sur différents mots de la phrase.
  – Le sujet : – **Qui** *est là ? – C'est Paul.*
  – Un complément d'objet : – **À qui** *parlais-tu ? – À mon cousin.*
  – Un complément circonstanciel : – **Quand** *pars-tu ? – La semaine prochaine.*
    – **Pourquoi** *est-ce que tu pars ? – Parce que je suis fatigué.*

73. LA NÉGATION

1. La phrase de forme négative et la phrase de forme positive

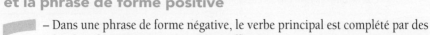

– Dans une phrase de forme négative, le verbe principal est complété par des **adverbes de négation** : *Le vent **ne** souffle **pas**.*

– Dans une phrase de forme positive, le verbe principal n'est pas complété par des adverbes de négation : *Le vent souffle.*

> Pour savoir si une phrase complexe (p. 75) est de forme positive ou négative, il faut examiner le verbe de la proposition principale. On ne tient pas compte du verbe de la proposition subordonnée :
> *Le vent souffle quand il ne fait pas beau.*   Phrase déclarative positive.
> *Le vent ne souffle pas quand il fait beau.*   Phrase déclarative négative.

2. Les adverbes de négation du type *ne... pas*

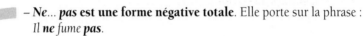

La négation du type **ne... pas** comporte deux adverbes :
– ils encadrent le verbe employé à un temps simple : *Il **ne** fume **pas**.*
– ils encadrent l'auxiliaire d' un temps composé : *Il **n'**a **pas** fumé.*
– ils précèdent le verbe à l' infinitif : ***Ne pas** fumer.*

– ***Ne... pas* est une forme négative totale.** Elle porte sur la phrase :
   *Il **ne** fume **pas**.*
– ***Ne... plus**, **ne... jamais**, **ne... pas beaucoup/souvent/assez**, **ne... guère*** (usage soutenu) sont des négations partielles. Elles portent sur une circonstance :
   *Il **ne** fume **plus**. Il **ne** fume **jamais**. Il **ne** fume **guère**.*

> Autres négations totales : *Ne... point* est employé dans certaines régions.
> *Ne... goutte*, *ne... mie* sont archaïques.

3. Les autres adverbes de négation

***Ne... que* est une forme négative restrictive**. Elle exprime une sélection :
   *Je **n'**ai **que** des pions noirs.* = Je n'ai pas de pions blancs.
– Elle peut être niée :
   *Je **n'**ai **pas que** des pions noirs.* = J'ai aussi des pions blancs.

Ne peut être employé tout seul.
– Quand il y a un mot de sens négatif dans la phrase :
   *Je **n'**ai vu ni Philippe, ni Brigitte.*
– Dans l' usage soutenu des verbes *pouvoir, savoir, oser* :
   *Je **ne** peux tout dire. Je **ne** sais quoi dire. Je **n'**ose répondre.*

Attention à employer correctement la forme négative !
À l'oral on dit généralement : *Je sais pas.* Ou : *Je n'sais pas.*
Il faut **toujours écrire** la négation complète : *Je **ne** sais **pas**.*

4. Le sens des phrases de forme positive et de forme négative

La phrase déclarative exprime la négation de la phrase positive correspondante : *Il est arrivé. / Il n'est pas arrivé.*

La phrase impérative négative exprime la négation de la phrase positive correspondante : *Partez ! / Ne partez pas !*

Beaucoup de phrases exclamatives positives n'ont pas de forme négative :
Que c'est beau ! Comme je suis content ! mais : *Que ce n'est pas beau...* (??)
– Des phrases exclamatives négatives ont la valeur d'une phrase positive :
Que ne ferait-il pas pour être bien vu ! = *Il est prêt à tout pour...*
– Les phrases exclamatives positive et négative ont parfois le même sens :
Qu'est-ce qu'il va inventer cette fois ! ⎫ = Quelle idée bizarre
Qu'est-ce qu'il ne va pas inventer cette fois ! ⎭ va-t-il avoir ?

La phrase interrogative de forme négative n'exprime pas la négation de la phrase positive correspondante. Elle exprime différentes nuances de sens :
Tu viendras me voir ? La question porte sur la venue : oui ou non.
Tu ne viendras pas me voir ? Fais un effort. Ça me ferait plaisir.
Tes amis sont arrivés ? La question porte sur l'arrivée : oui ou non.
Tes amis ne sont pas arrivés ? C'est bizarre. Qu'en penses-tu ?

Pour répondre affirmativement à une phrase interrogative de forme négative, on emploie l'adverbe *si* (p. 103-6).

5. Le *ne* explétif

Dans les subordonnées complétives qui suivent *craindre, douter,* et après *de peur que, à moins que, avant que* (p. 88-2), l'usage soutenu emploie un *ne* qui n'a pas une valeur négative.
On dit que ce **ne** est **explétif**, c'est-à-dire qu'il n'est pas nécessaire :
*Je crains qu'il **ne** vienne.* Phrase positive de l'usage soutenu.
Je crains qu'il vienne. Phrase positive de l'usage courant.
Je crains qu'il ne vienne pas. Phrase négative dans les deux usages.

6. La négation syntaxique et la négation sémantique

La **négation syntaxique** met face à face une phrase de forme positive et une phrase de forme négative :
C'est permis. / Ce n'est pas permis.

La **négation sémantique** est exprimée par le sens des mots. Mais elle met face à face deux phrases de la même forme :
C'est permis. / C'est interdit. Les deux phrases sont déclaratives positives.

Attention **à ne pas confondre la liaison et la négation !**
*On entend les hiboux. / On **n**'entend **pas** les hiboux.* Voir p. 32-Attention !

74. LES DISCOURS RAPPORTÉS

1. Définitions

❊ Un énonciateur A (p. 101-1) peut **citer** dans son énoncé les paroles d'un **autre** énonciateur B.
On appelle les paroles de l'énonciateur B un **discours rapporté**.

❊ L'usage courant utilise deux sortes de discours rapporté :
– le **discours rapporté direct** (appelé aussi **style direct**),
– le **discours rapporté indirect** (appelé aussi **style indirect**).

2. Le discours rapporté direct (ou style direct)

❊ Dans le discours rapporté direct, l'énonciateur A donne complètement la parole à l'énonciateur B. **L'énonciateur A interrompt sa propre énonciation.**
– C'est un peu comme un enregistrement. On n'entend plus la voix de l'énonciateur A, mais la voix et les mots de l'énonciateur B.
– Le discours rapporté direct est rattaché à l'énoncé de A par un **verbe de parole** : dire, affirmer, ajouter, déclarer, expliquer, répondre, crier, murmurer, répéter, redire, avouer, etc.

❊ *Il répondit : « Je suis de votre avis. »*
La construction comporte :
– la proposition avec le verbe de parole *répondre* ;
– deux points (:) ;
– et le **discours rapporté direct** entre guillemets (« »).

❊ *« J'aimerais jouer au basket, dit-il, mais je n'ai pas assez de temps libre. »*
La construction comporte :
– le **discours rapporté direct** entre guillemets,
– et le verbe de parole dans une **proposition incise** placée **dans** le discours rapporté : *dit-il.*

> Dans la proposition incise l'ordre est toujours verbe + sujet :
> ... *demanda-t-il.* / ...*répondit Paul.*

❊ *« Est-ce que vous êtes de mon avis ? » demanda-t-il.*
La construction comporte :
– le **discours rapporté direct** entre guillemets ;
– et le verbe de parole dans une **proposition incise** placée **après** le discours rapporté : *demanda-t-il.*
Dans ce cas, les points d'interrogation ou d'exclamation terminent le discours rapporté et sont placés avant la proposition incise.

> Quand le discours rapporté direct est un dialogue, des tirets placés au début de chaque ligne marquent le changement de locuteur :
> – *Tu as vu Philippe ? demanda Agnès.*
> – *Je ne l'ai pas vu, répondit-il, mais je suis certain qu'il est là.*

3. Le discours rapporté indirect (ou style indirect)

✳ Dans le discours rapporté indirect, **on continue d'entendre la voix de l'énonciateur A**. C'est lui qui énonce le discours de l'énonciateur B.

✳ – Après les **verbes de parole**, le discours rapporté indirect prend la forme d'une **proposition subordonnée complétive** qui est COD du verbe de parole.
– Après les **verbes *demander, se demander,*** et des verbes permettant une interrogation (***savoir, ne pas savoir, ignorer***...), le discours rapporté indirect prend la forme d'une **proposition subordonnée interrogative indirecte** qui est également COD du verbe de la principale.

✳ *Brigitte a dit qu'elle viendrait me voir.*
– **Proposition principale** où se trouve le verbe de parole : *Brigitte a dit,*
– **Proposition subordonnée complétive** (p. 88-2) : *qu'elle viendrait me voir.*

> Si on compare le discours rapporté direct et le discours rapporté indirect, on voit que l'énonciateur A est obligé de faire des changements.
> – Changements de pronoms personnels et d'adjectifs possessifs :
> *Jean me dit : « **Je** viendrai **te** rendre **ton** stylo. »*
> *Jean me dit qu'**il** viendra **me** rendre **mon** stylo.*
> – Changements de temps quand la principale est au passé (voir aussi p. 51-5) :
> *Jean m'a dit : « Paul **viendra** bientôt. »* (futur)
> *Jean m'a dit que Paul **viendrait** bientôt.* (conditionnel, p. 57-4)

✳ *Il se demande si Jean viendra.*
– **Principale** où se trouve le verbe d'interrogation : *Il se demande,*
– **Subordonnée interrogative indirecte** introduite par **si** : *si Jean viendra.*

> Cette construction correspond à une interrogation totale (p. 103-6) :
> *« Est-ce que Jean viendra ? » « Jean viendra-t-il ? »*

✳ *Elle ne sait pas qui l'appelle. Elle ne sait pas où il est.*
– **Principale** avec le verbe permettant l'interrogation : *Elle ne sait pas,*
– **Subordonné interrogative indirecte** introduite par un pronom interrogatif (p. 37) : *qui l'appelle* ; ou un adverbe interrogatif (p. 68-4) : *où il est.*

> Cette construction correspond à une interrogation partielle (p. 103-7) :
> *« Qui l'appelle ? » « Où est-il ? »*
> *Il me demande pourquoi je pars. « Pourquoi est-ce que tu pars ? »*
> *J'ignore ce qu'il fait. « Qu'est-ce qu'il fait ? »*

4. Le discours rapporté indirect libre (ou style indirect libre)

✳ Il appartient à l'écriture littéraire.
– Les personnes et les temps sont les mêmes que dans le discours indirect, mais il n'y a pas de proposition subordonnée.
– Les marques de l'interrogation et de l'exclamation sont les mêmes que dans le discours direct, mais il n'y a pas de guillemets.
*La caissière attendait. Derrière lui, les autres clients s'impatientaient... **Dans quelle poche avait-il mis son argent ?***

> Discours direct : *Il murmura : « Dans quelle poche ai-je mis mon argent ? »*
> Discours indirect : *Il se demandait dans quelle poche il avait mis son argent.*

75. LES PRÉSENTATIFS

1. Définition

On appelle **présentatifs** quatre constructions qui servent à « présenter » un GN, un GP, un infinitif, une proposition relative ou complétive :
C'est... Voici... Voilà... Il y a... Il est...

2. Les emplois

C'est, c'était, ce sera... est le plus courant des présentatifs.
Trois constructions sont possibles :

– *C'est Paul.*	*C'est à moi.*	*C'est beau.*	*C'était bien.*	*C'est ce que je voulais.*
C'est + GN	/ GP /	adjectif /	adverbe /	relative sans antécédent.

– *C'est très bon, ce gâteau.*   *C'est* + attribut + sujet
– *Ce gâteau, c'est très bon.*   Sujet + *c'est* + attribut

Voici et **voilà** gardent un écho de leur sens en ancien français : *Voi ci* (« Vois ici ») et *Voi là* (« Vois là »). Ils montrent vraiment ce qu'ils présentent. *Voici* montre ce qui est proche. *Voilà* montre ce qui est plus éloigné et il est utilisé pour marquer une conclusion : *Et voilà !*
Plusieurs constructions sont possibles :
– *Voici Paul. Voilà ma maison. Voici pour toi.* Présentatif + GN / GP.
– *Voilà qu'il pleut ! Voilà ce qui arrive quand on hésite.* Présentatif + proposition.
– *En voilà une nouvelle !* En + présentatif + GN (phrase exclamative).
– *Le voilà arrivé !* Pronom + présentatif + ...

Il y a, il y avait, il y aura... constate la présence de quelqu'un ou de quelque chose. Dans la plupart des cas, la construction comporte un complément circonstanciel de lieu ou de temps :
Il y a un oiseau sur le bord de la fenêtre.

– **Il est, il était**... est d'usage courant dans quelques constructions :
Il est huit heures. Il était une fois... Il sera trop tard.
– Mais ce présentatif appartient à l'usage soutenu :
Il est des gens pour penser que cette histoire est ridicule.

3. Les constructions c'est... qui / c'est... que

C'est... qui, voici... qui, voilà... qui, il y a... qui, est une sorte de cadre qui met en relief le **sujet logique** en tête de l'énoncé.
Paul arrive. → *C'est Paul qui arrive. Il y a Paul qui arrive.*

C'est... que est une sorte de pince qui extrait un **autre constituant de la proposition** pour le mettre en relief au début de l'énoncé :
J'apporte ce disque pour toi. → *C'est pour toi que j'apporte ce disque.*
Paul arrive demain. → *C'est demain que Paul arrive.*

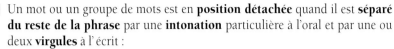

76. LES MISES EN POSITION DÉTACHÉE

1. Définition

Un mot ou un groupe de mots est en **position détachée** quand il est **séparé du reste de la phrase** par une **intonation** particulière à l'oral et par une ou deux **virgules** à l'écrit :
– détachement en tête de phrase : **Essoufflé,** *le coureur s'arrêta.*
– détachement en cours de phrase : *Le coureur,* **essoufflé,** *s'arrêta.*
– détachement en fin de phrase : *Le coureur s'arrêta,* **essoufflé.**

2. Les mises en position détachée obligatoires

Certaines fonctions demandent la mise en position détachée. Celle-ci n'est donc pas un effet de style mais une **construction syntaxique obligatoire** :
– nom en apposition (p. 79-2) :
Paul, **mon voisin,** *joue au basket.*
– adjectif épithète détachée (p. 78-2) :
Les élèves, **malades,** *n'allèrent pas à la piscine.*
– subordonnée relative épithète détachée (p. 92-3) :
Les élèves, **qui étaient malades,** *n'allèrent pas à la piscine.*
– subordonnée participe présent (p. 62-2) :
Une tempête approchant, *les voiliers regagnent le port.*
– subordonnée participe passé (p. 64-2) :
La nuit venue, *nos amis partirent.*

3. Les mises en position détachée stylistiques

Quand la mise en position détachée n'est pas obligatoire, l' énonciateur (p. 101-1) la choisit toujours pour obtenir une **mise en relief,** un **effet de style**.

Un premier exemple est celui de la mise en tête de la phrase d' un ou plusieurs compléments circonstanciels (p. 81-3) :
Tous les matins, à 7 heures, *Jean fait de la gymnastique.*
Au loin, derrière les collines, *les nuages commençaient de s'accumuler.*

Un second exemple est celui où le mot en position détachée est repris ou annoncé par un pronom dans la suite de la phrase :
Moi, je *ne suis pas d'accord.* **Tu** *n'es jamais d'accord,* **toi** !
Le *ballon, rattrape-***le** ! **Ton** *devoir, tu* **l'**as fini ?

La mise en position détachée stylistique correspond à une mise en relief.
Mais il y a des mises en relief qui ne sont pas des mises en position détachée :
– l'antéposition de l'adjectif épithète (p. 27-4) ;
– l'ordre verbe + sujet (p. 77-4), et l'ordre attribut + verbe (p. 86-2) ;
– l'emploi des présentatifs *c'est... qui, c'est... que* (p. 108-3) ;
– les répétitions : *Oui, c'est vrai ! c'est vrai !*
– les accents d'intensité : *Ce film est foorrmidable !*

77. LA PONCTUATION

1. Le rôle des signes de ponctuation

La ponctuation des énoncés écrits joue plusieurs rôles.
– Elle aide à distinguer les groupes syntaxiques.
– Elle détache certaines constructions (p. 109).
– Elle indique les types de phrase (p. 102- 103).
– Elle marque ou imite les pauses de l'oral.

2. Règles importantes

Quelques règles doivent être attentivement respectées.
– **On met un point à la fin des phrases.**
– **On ne met jamais de virgule** entre le sujet et le verbe, le verbe et les compléments de verbe, le verbe et l'attribut.
– **On met la virgule** ou les virgules nécessaires pour repérer les mots ou les groupes de mots en position détachée (p. 109).

3. Les points

Le **point** est une pause forte. Il marque la **fin d'une phrase**.
– Le point (.) marque la fin d'une phrase déclarative (p. 102-2).
– Le point d'exclamation (!) marque la fin d'une phrase exclamative ou d'une phrase impérative (p. 102-3, 4).
– Le point d'interrogation (?) marque la fin d'une phrase interrogative (p. 103-5).

> • On met un point quand on abrège un mot en supprimant ses dernières lettres :
> *M. Dupont* = Monsieur Dupont. *Etc.* = et cætera (= et le reste).
> • On ne met pas de point quand des lettres sont supprimées dans le mot :
> *Mme Dupont* = Madame Dupont. *Dr Dupont* = Docteur Dupont.
> • En principe, on doit mettre des points dans les sigles :
> *S.N.C.F.* = Société nationale des chemins de fer français.

4. Les points de suspension

Les **points de suspension** comportent trois points (...).
– Ils marquent une **interruption**, une pause :
Mesdames, messieurs, je... je voudrais... je...
– Ils indiquent un **sous-entendu**, un prolongement possible :
Il a dit qu'il viendrait. Je veux bien... (mais j'en doute).

5. Le point-virgule

Le **point virgule** (;) indique une **pause moins forte que le point**. La voix ne baisse pas complétement comme pour un point.
Le point virgule sépare deux propositions juxtaposées ou coordonnées :
Le vent soufflait. Il décida de sortir malgré tout ; et son chapeau s'envola !

6. La virgule

La **virgule** est une **pause de courte durée** où la voix ne baisse pas.
– Elle joue un rôle de **coordination** (p. 70-71) :
  J'ai rencontré Philippe, Brigitte, Annie et Adeline.
– Elle ponctue les **mises en position détachée** (p. 109).
– Elle ponctue également les interventions de l'énonciateur dans les **incises de commentaire** et dans les **apostrophes** (p. 101-3).

> La virgule cumule souvent son rôle de coordination avec une conjonction de coordination exprimée : *Je ne suis pas d'accord, mais je viendrai quand même.*

7. Les deux points

Les **deux points** (:) annoncent une **suite**. Cette suite peut être :
– une énumération :
  J'ai revu tous mes amis : Paul, Claire, Marc, Jean.
– un énoncé de discours rapporté direct (p. 106-2) :
  Il se leva et dit : « Je pense que nous devons prendre une décision. »
– une citation :
  La devise de la République française est : Liberté, Égalité, Fraternité.
– une cause :
  Il arriva en retard : il y avait eu un accident sur la route.
– une conséquence :
  Il y avait eu un accident : il arriva en retard.

> Il ne faut pas abuser de ces deux derniers emplois. Ils donnent une grande vivacité à l'expression écrite, mais on doit aussi veiller à employer les conjonctions de subordination de cause (p. 95) et de conséquence (p. 96).

8. Les autres marques de ponctuation

Les **guillemets** («...») encadrent le discours rapporté direct (p.106-2). Ils permettent aussi d'attirer l'attention sur un mot parce qu'il est employé dans un sens particulier, parce qu'il est familier, bizarre ou incorrect, etc. :
  Ce bonhomme n'est pas vraiment un « bonhomme ».

Le **tiret** (–) marque les répliques d'un dialogue (p. 106-2). Deux tirets peuvent encadrer une incise de commentaire (p. 101-3).
Il ne faut pas confondre le tiret (–) et le trait d'union (-). le trait d'union est plus petit et il réunit les unités de certains mots composés : *un porte-avions.*

Les **parenthèses** (...) encadrent une incise de commentaire (p. 101-3). On met entre parenthèses les renseignements complémentaires. Par exemple, dans ce livre, nous mettons entre parenthèses les indications de renvois de page.
Attention : les parenthèses ne peuvent pas servir à supprimer un passage d'un texte. Pour supprimer, on efface ou on raye proprement.

Les **alinéas** (aller à la ligne et commencer en retrait de la marge), les **paragraphes** et les **lignes d'espace** sont aussi des éléments de ponctuation des énoncés écrits. Ils en facilitent la lecture.

LES VERBES AUXILIAIRES *ÊTRE* ET *AVOIR*

Être

INFINITIF	
Présent	**Passé**
être	avoir été

PARTICIPE	
Présent	**Passé**
étant	été

INDICATIF		
Présent	**Passé composé**	
je suis	j' ai	été
tu es	tu as	été
il est	il a	été
ns sommes	ns avons	été
vs êtes	vs avez	été
ils sont	ils ont	été
Imparfait	**Plus-que-parfait**	
j' étais	j' avais	été
tu étais	tu avais	été
il était	il avait	été
ns étions	ns avions	été
vs étiez	vs aviez	été
ils étaient	ils avaient	été
Futur simple	**Futur antérieur**	
je serai	j' aurai	été
tu seras	tu auras	été
il sera	il aura	été
ns serons	ns aurons	été
vs serez	vs aurez	été
ils seront	ils auront	été
Passé simple	**Passé antérieur**	
je fus	j' eus	été
tu fus	tu eus	été
il fut	il eut	été
ns fûmes	ns eûmes	été
vs fûtes	vs eûtes	été
ils furent	ils eurent	été
Conditionnel présent	**Conditionnel passé**	
je serais	j' aurais	été
tu serais	tu aurais	été
il serait	il aurait	été
ns serions	ns aurions	été
vs seriez	vs auriez	été
ils seraient	ils auraient	été

SUBJONCTIF		
Présent	**Passé**	
je sois	j' aie	été
tu sois	tu aies	été
il soit	il ait	été
ns soyons	ns ayons	été
vs soyez	vs ayez	été
il soient	ils aient	été
Imparfait	**Plus-que-parfait**	
je fusse	j' eusse	été
tu fusses	tu eusses	été
il fût	il eût	été
ns fussions	ns eussions	été
vs fussiez	vs eussiez	été
ils fussent	ils eussent	été

IMPÉRATIF		
Présent	**Passé**	
sois	aie	été
soyons	ayons	été
soyez	ayez	été

Remarque

• Pour mieux retenir les temps du subjonctif, on les conjugue avec la conjonction *que* : *que je sois, que tu chantes, qu'il finisse*, etc.

• Mais il ne faut pas oublier que le subjonctif peut être employé dans une proposition indépendante sans *que*, dans une relative avec *qui*, etc. (p. 58, 59).

LES VERBES AUXILIAIRES *ÊTRE* ET *AVOIR*

Avoir

INFINITIF		PARTICIPE	
Présent	Passé	Présent	Passé
avoir	avoir eu	ayant	eu, eue

INDICATIF		SUBJONCTIF	
Présent	Passé composé	Présent	Passé
j' ai	j' ai eu	j' aie	j' aie eu
tu as	tu as eu	tu aies	tu aies eu
il a	il a eu	il ait	il ait eu
ns avons	ns avons eu	ns ayons	ns ayons eu
vs avez	vs avez eu	vs ayez	vs ayez eu
ils ont	ils ont eu	ils aient	ils aient eu
Imparfait	Plus-que-parfait	Imparfait	Plus-que-parfait
j' avais	j' avais eu	j' eusse	j' eusse eu
tu avais	tu avais eu	tu eusses	tu eusses eu
il avait	il avait eu	il eût	il eût eu
ns avions	ns avions eu	ns eussions	ns eussions eu
vs aviez	vs aviez eu	vs eussiez	vs eussiez eu
ils avaient	ils avaient eu	ils eussent	ils eussent eu
Futur simple	Futur antérieur		
j' aurai	j' aurai eu		
tu auras	tu auras eu		
il aura	il aura eu		
ns aurons	ns aurons eu		
vs aurez	vs aurez eu		
ils auront	ils auront eu		

IMPÉRATIF		
Présent	Passé	
aie	aie	eu
ayons	ayons	eu
ayez	ayez	eu

Passé simple	Passé antérieur
j' eus	j' eus eu
tu eus	tu eus eu
il eut	il eut eu
ns eûmes	ns eûmes eu
vs eûtes	vs eûtes eu
ils eurent	ils eurent eu
Conditionnel présent	Conditionnel passé
j' aurais	j' aurais eu
tu aurais	tu aurais eu
il aurait	il aurait eu
ns aurions	ns aurions eu
vs auriez	vs auriez eu
ils auraient	ils auraient eu

LES VERBES DU PREMIER GROUPE : –er

Chanter

INFINITIF	
Présent	Passé
chanter	avoir chanté

PARTICIPE	
Présent	Passé
chantant	chanté, e

INDICATIF

Présent	Passé composé	
je chante	j' ai	chanté
tu chantes	tu as	chanté
il chante	il a	chanté
ns chantons	ns avons	chanté
vs chantez	vs avez	chanté
ils chantent	ils ont	chanté

Imparfait	Plus-que-parfait	
je chantais	j' avais	chanté
tu chantais	tu avais	chanté
il chantait	il avait	chanté
ns chantions	ns avions	chanté
vs chantiez	vs aviez	chanté
ils chantaient	ils avaient	chanté

Futur simple	Futur antérieur	
je chanterai	j' aurai	chanté
tu chanteras	tu auras	chanté
il chantera	il aura	chanté
ns chanterons	ns aurons	chanté
vs chanterez	vs aurez	chanté
ils chanteront	ils auront	chanté

Passé simple	Passé antérieur	
je chantai	j' eus	chanté
tu chantas	tu eus	chanté
il chanta	il eut	chanté
ns chantâmes	ns eûmes	chanté
vs chantâtes	vs eûtes	chanté
ils chantèrent	ils eurent	chanté

Conditionnel présent	Conditionnel passé	
je chanterais	j' aurais	chanté
tu chanterais	tu aurais	chanté
il chanterait	il aurait	chanté
ns chanterions	ns aurions	chanté
vs chanteriez	vs auriez	chanté
ils chanteraient	ils auraient	chanté

SUBJONCTIF

Présent	Passé	
je chante	j' aie	chanté
tu chantes	tu aies	chanté
il chante	il ait	chanté
ns chantions	ns ayons	chanté
vs chantiez	vs ayez	chanté
ils chantent	ils aient	chanté

Imparfait	Plus-que-parfait	
je chantasse	j' eusse	chanté
tu chantasses	tu eusses	chanté
il chantât	il eût	chanté
ns chantassions	ns eussions	chanté
vs chantassiez	vs eussiez	chanté
ils chantassent	ils eussent	chanté

IMPÉRATIF

Présent	Passé	
chante	aie	chanté
chantons	ayons	chanté
chantez	ayez	chanté

• Dans une phrase interrogative avec inversion du sujet (p. 103-6), on emploie : *Chanté-je* ?

• Les « Rectifications de l'orthographe » de 1990 autorisent la forme : *Chantè-je* ?

• Elles autorisent également la généralisation du *è* pour les verbes avec *é* ou *e* à l'avant-dernière syllabe (p. 115) : *Nous espèrons, vous espèrez.*

LES VERBES DU PREMIER GROUPE : –er

Particularités orthographiques liées à la prononciation

• **Verbes en -cer.** Devant les voyelles *a* et *o*, le *c* prend une cédille *ç* :
Je lance, nous lançons, vous lancez, ils lancent. Je lançais, nous lancions.
Agacer, annoncer, avancer, balancer, coincer, commencer, dénoncer, devancer, effacer, enfoncer, énoncer, foncer, grimacer, grincer, lacer, lancer, menacer, nuancer, pincer, placer, rincer, tracer, etc.

• **Verbes en -ger.** Devant les voyelles *a* et *o*, le *g* devient *ge* :
Je bouge, nous bougeons, vous bougez, ils bougent. Je bougeais, nous bougions.
Abréger, alléger, avantager, bouger, décourager, dégager, déménager, diriger, encourager, enrager, envisager, exiger, manger, mélanger, nager, neiger, partager, piéger, ranger, rédiger, saccager, soulager, voyager, etc.

• **Verbes en -eler.**
– Certains verbes prennent -*ll*- devant un *e* muet :
J'appelle, nous appelons, vous appelez, ils appellent. J'appelais. J'appellerai.
Amonceler, appeler, atteler, carreler, chanceler, ensorceler, épeler, ficeler, museler, niveler, rappeler, renouveler, etc.
– Mais d'autres verbes en -*eler* prennent un -*è*- :
Je gèle, nous gelons, vous gelez, ils gèlent. Je gelais. Je gèlerai.
Congeler, déceler, décongeler, geler, peler, etc.

• **Verbes en -eter.**
– Certains verbes prennent -*tt*- devant un *e* muet :
Je jette, nous jetons, vous jetez, ils jettent. Je jetais. Je jetterai.
Cliqueter, décacheter, étiqueter, jeter, projeter, rejeter.

– Mais d'autres verbes prennent un -*è*- :
J'achète, nous achetons, vous achetez, ils achètent. J'achetais. J'achèterai.
Acheter, fureter, haleter.

• **Verbes en -oyer et en -uyer.**
Le *y* devient *i* devant un *e* muet :
J'envoie, nous envoyons, vous envoyez, ils envoient. J'envoyais. J'enverrai.
Aboyer, apitoyer, broyer, déployer, employer, envoyer, foudroyer, nettoyer, noyer, renvoyer, tournoyer, tutoyer, etc.
J'essuie, nous essuyons, vous essuyez, ils essuient. J'essuyais. J'essuierai.
Appuyer, ennuyer, essuyer, etc.

• **Verbes en -ayer.** Le *y* devient *i* devant *e* muet, ou reste un *y* :
Je balaie / je balaye, tu balaies / tu balayes, il balaie / il balaye, nous balayons.
Balayer, bégayer, déblayer, débrayer, délayer, effrayer, embrayer, enrayer, essayer, pagayer, payer, rayer, relayer, etc.

• **Verbes avec é ou e à l'avant-dernière syllabe.** Ils deviennent *è* devant *e* muet :
– *J'espère, nous espérons, vous espérez, ils espèrent. J'espérais. J'espèrerai.*
Accéder, accélérer, aérer, céder, compléter, concéder, considérer, coopérer, désaltérer, désespérer, digérer, énumérer, espérer, exaspérer, imprégner, inquiéter, interpréter, lécher, obséder, opérer, pénétrer, posséder, précéder, préférer, refléter, régler, repérer, révéler, suggérer, tolérer, etc.

– *Je mène, nous menons, vous menez, ils mènent. Je menais. Je mènerai.*
Achever, amener, crever, se démener, emmener, enlever, lever, malmener, mener, semer, soulever, etc.

LES VERBES DU DEUXIÈME GROUPE : –ir, –issant

Finir

INFINITIF	
Présent	Passé
finir	avoir fini

PARTICIPE	
Présent	Passé
finissant	fini, e

INDICATIF

Présent	Passé composé		
je finis	j'	ai	fini
tu finis	tu	as	fini
il finit	il	a	fini
ns finissons	ns	avons	fini
vs finissez	vs	avez	fini
ils finissent	ils	ont	fini

Imparfait	Plus-que-parfait		
je finissais	j'	avais	fini
tu finissais	tu	avais	fini
il finissait	il	avait	fini
ns finissions	ns	avions	fini
vs finissiez	vs	aviez	fini
ils finissaient	ils	avaient	fini

Futur simple	Futur antérieur		
je finirai	j'	aurai	fini
tu finiras	tu	auras	fini
il finira	il	aura	fini
ns finirons	ns	aurons	fini
vs finirez	vs	aurez	fini
ils finiront	ils	auront	fini

Passé simple	Passé antérieur		
je finis	j'	eus	fini
tu finis	tu	eus	fini
il finit	il	eut	fini
ns finîmes	ns	eûmes	fini
vs finîtes	vs	eûtes	fini
ils finirent	ils	eurent	fini

Conditionnel présent	Conditionnel passé		
je finirais	j'	aurais	fini
tu finirais	tu	aurais	fini
il finirait	il	aurait	fini
ns finirions	ns	aurions	fini
vs finiriez	vs	auriez	fini
ils finiraient	ils	auraient	fini

SUBJONCTIF

Présent	Passé		
je finisse	j'	aie	fini
tu finisses	tu	aies	fini
il finisse	il	ait	fini
ns finissions	ns	ayons	fini
vs finissiez	vs	ayez	fini
ils finissent	ils	aient	fini

Imparfait	Plus-que-parfait		
je finisse	j'	eusse	fini
tu finisses	tu	eusses	fini
il finît	il	eût	fini
ns finissions	ns	eussions	fini
vs finissiez	vs	eussiez	fini
ils finissent	ils	eussent	fini

IMPÉRATIF

Présent	Passé	
finis	aie	fini
finissons	ayons	fini
finissez	ayez	fini

• *Bénir* a un participe passé régulier : *béni* (*Le prêtre a béni les bateaux*). Mais l'adjectif est différent : *eau bénite*.
• *Fleurir* au sens de « donner des fleurs » a une conjugaison régulière :
Le rosier fleurit, ils fleurissent. Il fleurissait, ils fleurissaient. Fleurissant.
Mais au sens de « prospérer », *fleurir* a une conjugaison avec le radical *flor-* à l'imparfait et au participe présent :
L'art florissait, ils florissaient. Florissant.
• *Haïr, haïssant* se conjugue comme *finir* sauf aux trois premières personnes du présent de l'indicatif : *Je le hais, tu le hais, il le hait.* Et à l'impératif : *Hais !*

LES VERBES DU TROISIÈME GROUPE

Acquérir

INFINITIF		
Présent	Passé	
acquérir	avoir	acquis

PARTICIPE		
Présent	Passé	
acquérant	acquis, e	

INDICATIF		
Présent	**Passé composé**	
j' acquiers	j' ai	acquis
tu acquiers	tu as	acquis
il acquiert	il a	acquis
ns acquérons	ns avons	acquis
vs acquérez	vs avez	acquis
ils acquièrent	ils ont	acquis
Imparfait	**Plus-que-parfait**	
j' acquérais	j' avais	acquis
tu acquérais	tu avais	acquis
il acquérait	il avait	acquis
ns acquérions	ns avions	acquis
vs acquériez	vs aviez	acquis
ils acquéraient	ils avaient	acquis
Futur simple	**Futur antérieur**	
j' acquerrai	j' aurai	acquis
tu acquerras	tu auras	acquis
il acquerra	il aura	acquis
ns acquerrons	ns aurons	acquis
vs acquerrez	vs aurez	acquis
ils acquerront	ils auront	acquis
Passé simple	**Passé antérieur**	
j' acquis	j' eus	acquis
tu acquis	tu eus	acquis
il acquit	il eut	acquis
ns acquîmes	ns eûmes	acquis
vs acquîtes	vs eûtes	acquis
ils acquirent	ils eurent	acquis
Conditionnel présent	**Conditionnel passé**	
j' acquerrais	j' aurais	acquis
tu acquerrais	tu aurais	acquis
il acquerrait	il aurait	acquis
ns acquerrions	ns aurions	acquis
vs acquerriez	vs auriez	acquis
ils acquerraient	ils auraient	acquis

SUBJONCTIF		
Présent	**Passé**	
j' acquière	j' aie	acquis
tu acquières	tu aies	acquis
il acquière	il ait	acquis
ns acquérions	ns ayons	acquis
vs acquériez	vs ayez	acquis
ils acquièrent	ils aient	acquis
Imparfait	**Plus-que-parfait**	
j' acquisse	j' eusse	acquis
tu acquisses	tu eusses	acquis
il acquît	il eût	acquis
ns acquissions	ns eussions	acquis
vs acquissiez	vs eussiez	acquis
ils acquissent	ils eussent	acquis

IMPÉRATIF		
Présent	**Passé**	
acquiers	aie	acquis
acquérons	ayons	acquis
acquérez	ayez	acquis

Même conjugaison pour :
conquérir, s'enquérir, requérir.

LES VERBES DU TROISIÈME GROUPE

Aller

INFINITIF			PARTICIPE		
Présent	**Passé**		**Présent**	**Passé**	
aller	être	allé	allant	allé, e	

INDICATIF

Présent	Passé composé		Imparfait	Plus-que-parfait	
je vais	je suis	allé	j' allais	j' étais	allé
tu vas	tu es	allé	tu allais	tu étais	allé
il va	il est	allé	il allait	il était	allé
ns allons	ns sommes	allés	ns allions	ns étions	allés
vs allez	vs êtes	allés	vs alliez	vs étiez	allés
ils vont	ils sont	allés	ils allaient	ils étaient	allés

Futur simple	Futur antérieur		Passé simple	Passé antérieur	
j' irai	je serai	allé	j' allai	je fus	allé
tu iras	tu seras	allé	tu allas	tu fus	allé
il ira	il sera	allé	il alla	il fut	allé
ns irons	ns serons	allés	ns allâmes	ns fûmes	allés
vs irez	vs serez	allés	vs allâtes	vs fûtes	allés
ils iront	ils seront	allés	ils allèrent	ils furent	allés

Conditionnel présent	Conditionnel passé	
j' irais	je serais	allé
tu irais	tu serais	allé
il irait	il serait	allé
ns irions	ns serions	allés
vs iriez	vs seriez	allés
ils iraient	ils seraient	allés

SUBJONCTIF

Présent	Passé		Imparfait	Plus-que-parfait	
j' aille	je sois	allé	j' allasse	je fusse	allé
tu ailles	tu sois	allé	tu allasses	tu fusses	allé
il aille	il soit	allé	il allât	il fût	allé
ns allions	ns soyons	allés	ns allassions	ns fussions	allés
vs alliez	vs soyez	allés	vs allassiez	vs fussiez	allés
ils aillent	ils soient	allés	ils allassent	ils fussent	allés

IMPÉRATIF

Présent	Passé	
va	sois	allé
allons	soyons	allés
allez	soyez	allés

À l'impératif, *va* prend un s dans *vas-y*.

LES VERBES DU TROISIÈME GROUPE

Asseoir (s') — CONJUGAISON 1

INFINITIF	
Présent	Passé
s'asseoir	s'être assis

PARTICIPE	
Présent	Passé
s'asseyant	assis, e

INDICATIF

Présent	Passé composé	
je m' assieds	je me suis	assis
tu t' assieds	tu t' es	assis
il s' assied	il s' est	assis
ns ns asseyons	ns ns sommes	assis
vs vs asseyez	vs vs êtes	assis
ils s' asseyent	ils se sont	assis

Imparfait	Plus-que-parfait	
je m' asseyais	je m' étais	assis
tu t' asseyais	tu t' étais	assis
il s' asseyait	il s' était	assis
ns ns asseyions	ns ns étions	assis
vs vs asseyiez	vs vs étiez	assis
ils s' asseyaient	ils s' étaient	assis

Futur simple	Futur antérieur	
je m' assiérai	je me serai	assis
tu t' assiéras	tu te seras	assis
il s' assiéra	il se sera	assis
ns ns assiérons	ns ns serons	assis
vs vs assiérez	vs vs serez	assis
ils s' assiéront	ils se seront	assis

Passé simple	Passé antérieur	
je m' assis	je me fus	assis
tu t' assis	tu te fus	assis
il s' assit	il se fût	assis
ns ns assîmes	ns ns fûmes	assis
vs vs assîtes	vs vs fûtes	assis
ils s' assirent	ils se furent	assis

Conditionnel présent	Conditionnel passé	
je m' assiérais	je me serais	assis
tu t' assiérais	tu te serais	assis
il s' assiérait	il se serait	assis
ns ns assiérions	ns ns serions	assis
vs vs assiériez	vs vs seriez	assis
ils s' assiéraient	ils se seraient	assis

SUBJONCTIF

Présent	Passé	
je m' asseye	je me sois	assis
tu t' asseyes	tu te sois	assis
il s' asseye	il se soit	assis
ns ns asseyions	ns ns soyons	assis
vs vs asseyiez	vs vs soyez	assis
ils s' asseyent	ils se soient	assis

Imparfait	Plus-que-parfait	
je m' assisse	je me fusse	assis
tu t' assisses	tu te fusses	assis
il s' assît	il se fût	assis
ns ns assissions	ns ns fussions	assis
vs vs assissiez	vs vs fussiez	assis
ils s' assissent	ils se fussent	assis

IMPÉRATIF

Présent	Passé	
assieds-toi	sois	assis
asseyons-nous	soyons	assis
asseyez-vous	soyez	assis

Asseoir s'emploie aussi à la voix active :
Il assied le bébé sur la table.
Il a assis le bébé…
Assieds le bébé…

LES VERBES DU TROISIÈME GROUPE

Asseoir (s') CONJUGAISON 2

INFINITIF	
Présent	Passé
s'asseoir	s'être assis

PARTICIPE	
Présent	Passé
s'assoyant	assis, e

INDICATIF

Présent	Passé composé	
je m' assois	je me suis	assis
tu t' assois	tu t' es	assis
il s' assoit	il s' est	assis
ns ns assoyons	ns ns sommes	assis
vs vs assoyez	vs vs êtes	assis
ils s' assoient	ils se sont	assis

Imparfait	Plus-que-parfait	
je m' assoyais	je m' étais	assis
tu t' assoyais	tu t' étais	assis
il s' assoyait	il s' était	assis
ns ns assoyions	ns ns étions	assis
vs vs assoyiez	vs vs étiez	assis
ils s' assoyaient	ils s' étaient	assis

Futur simple	Futur antérieur	
je m' assoirai	je me serai	assis
tu t' assoiras	tu te seras	assis
il s' assoira	il se sera	assis
ns ns assoirons	ns ns serons	assis
vs vs assoirez	vs vs serez	assis
ils s' assoiront	ils se seront	assis

Passé simple	Passé antérieur	
je m' assis	je me fus	assis
tu t' assis	tu te fus	assis
il s' assit	il se fût	assis
ns ns assîmes	ns ns fûmes	assis
vs vs assîtes	vs vs fûtes	assis
ils s' assirent	ils se furent	assis

Conditionnel présent	Conditionnel passé	
je m' assoirais	je me serais	assis
tu t' assoirais	tu te serais	assis
il s' assoirait	il se serait	assis
ns ns assoirions	ns ns serions	assis
vs vs assoiriez	vs vs seriez	assis
ils s' assoiraient	ils se seraient	assis

SUBJONCTIF

Présent	Passé	
je m' assoie	je me sois	assis
tu t' assoies	tu te sois	assis
il s' assoie	il se soit	assis
ns ns assoyions	ns ns soyons	assis
vs vs assoyiez	vs vs soyez	assis
ils s' assoient	ils se soient	assis

Imparfait	Plus-que-parfait	
je m' assisse	je me fusses	assis
tu t' assisses	tu te fusses	assis
il s' assît	il se fût	assis
ns ns assissions	ns ns fussions	assis
vs vs assissiez	vs vs fussiez	assis
ils s' assissent	ils se fussent	assis

IMPÉRATIF	
Présent	Passé
assois-toi	sois assis
assoyons-nous	soyons assis
assoyez-vous	soyez assis

• L'usage admet également qu'on écrive :
je m'asseois, tu t'asseois, il s'asseoit,
je m'asseoirai, je m'asseoirais,
que je m'asseoie, asseois-toi.
• Même conjugaison pour *surseoir*.

LES VERBES DU TROISIÈME GROUPE

Attendre

INFINITIF			PARTICIPE	
Présent	Passé		Présent	Passé
attendre	avoir	attendu	attendant	attendu, e

INDICATIF

Présent	Passé composé	
j' attends	j' ai	attendu
tu attends	tu as	attendu
il attend	il a	attendu
ns attendons	ns avons	attendu
vs attendez	vs avez	attendu
ils attendent	ils ont	attendu

Imparfait	Plus-que-parfait	
j' attendais	j' avais	attendu
tu attendais	tu avais	attendu
il attendait	il avait	attendu
ns attendions	ns avions	attendu
vs attendiez	vs aviez	attendu
ils attendaient	ils avaient	attendu

Futur simple	Futur antérieur	
j' attendrai	j' aurai	attendu
tu attendras	tu auras	attendu
il attendra	il aura	attendu
ns attendrons	ns aurons	attendu
vs attendrez	vs aurez	attendu
ils attendront	ils auront	attendu

Passé simple	Passé antérieur	
j' attendis	j' eus	attendu
tu attendis	tu eus	attendu
il attendit	il eut	attendu
ns attendîmes	ns eûmes	attendu
vs attendîtes	vs eûtes	attendu
ils attendirent	ils eurent	attendu

Conditionnel présent	Conditionnel passé	
j' attendrais	j aurais	attendu
tu attendrais	tu aurais	attendu
il attendrait	il aurait	attendu
ns attendrions	ns aurions	attendu
vs attendriez	vs auriez	attendu
ils attendraient	ils auraient	attendu

SUBJONCTIF

Présent	Passé	
j' attende	j' aie	attendu
tu attendes	tu aies	attendu
il attende	il ait	attendu
ns attendions	ns ayons	attendu
vs attendiez	vs ayez	attendu
ils attendent	ils aient	attendu

Imparfait	Plus-que-parfait	
j' attendisse	j' eusse	attendu
tu attendisses	tu eusses	attendu
il attendît	il eût	attendu
ns attendissions	ns eussions	attendu
vs attendissiez	vs eussiez	attendu
ils attendissent	ils eussent	attendu

IMPÉRATIF

Présent	Passé	
attends	aie	attendu
attendons	ayons	attendu
attendez	ayez	attendu

Même conjugaison pour *défendre, dépendre, descendre, détendre, entendre, étendre, fendre, pendre, prétendre, rendre, suspendre, tendre, vendre.*

LES VERBES DU TROISIÈME GROUPE

Battre

INFINITIF	
Présent	**Passé**
battre	avoir battu

PARTICIPE	
Présent	**Passé**
battant	battu, e

INDICATIF

Présent	Passé composé		
je bats	j'	ai	battu
tu bats	tu	as	battu
il bat	il	a	battu
ns battons	ns	avons	battu
vs battez	vs	avez	battu
ils battent	ils	ont	battu

Imparfait	Plus-que-parfait		
je battais	j'	avais	battu
tu battais	tu	avais	battu
il battait	il	avait	battu
ns battions	ns	avions	battu
vs battiez	vs	aviez	battu
ils battaient	ils	avaient	battu

Futur simple	Futur antérieur		
je battrai	j'	aurai	battu
tu battras	tu	auras	battu
il battra	il	aura	battu
ns battrons	ns	aurons	battu
vs battrez	vs	aurez	battu
ils battront	ils	auront	battu

Passé simple	Passé antérieur		
je battis	j'	eus	battu
tu battis	tu	eus	battu
il battit	il	eut	battu
ns battîmes	ns	eûmes	battu
vs battîtes	vs	eûtes	battu
ils battirent	ils	eurent	battu

Conditionnel présent	Conditionnel passé		
je battrais	j'	aurais	battu
tu battrais	tu	aurais	battu
il battrait	il	aurait	battu
ns battrions	ns	aurions	battu
vs battriez	vs	auriez	battu
ils battraient	ils	auraient	battu

SUBJONCTIF

Présent	Passé		
je batte	j'	aie	battu
tu battes	tu	aies	battu
il batte	il	ait	battu
ns battions	ns	ayons	battu
vs battiez	vs	ayez	battu
ils battent	ils	aient	battu

Imparfait	Plus-que-parfait		
je battisse	j'	eusse	battu
tu battisses	tu	eusses	battu
il battît	il	eût	battu
ns battissions	ns	eussions battu
vs battissiez	vs	eussiez	battu
ils battissent	ils	eussent	battu

IMPÉRATIF	
Présent	**Passé**
bats	aie battu
battons	ayons battu
battez	ayez battu

Même conjugaison pour *abattre, combattre, débattre.*

LES VERBES DU TROISIÈME GROUPE

Boire

INFINITIF		
Présent	Passé	
boire	avoir bu	

PARTICIPE		
Présent	Passé	
buvant	bu, e	

INDICATIF		
Présent	**Passé composé**	
je bois	j' ai	bu
tu bois	tu as	bu
il boit	il a	bu
ns buvons	ns avons	bu
vs buvez	vs avez	bu
ils boivent	ils ont	bu
Imparfait	**Plus-que-parfait**	
je buvais	j' avais	bu
tu buvais	tu avais	bu
il buvait	il avait	bu
ns buvions	ns avions	bu
vs buviez	vs aviez	bu
ils buvaient	ils avaient	bu
Futur simple	**Futur antérieur**	
je boirai	j' aurai	bu
tu boiras	tu auras	bu
il boira	il aura	bu
ns boirons	ns aurons	bu
vs boirez	vs aurez	bu
ils boiront	ils auront	bu
Passé simple	**Passé antérieur**	
je bus	j' eus	bu
tu bus	tu eus	bu
il but	il eut	bu
ns bûmes	ns eûmes	bu
vs bûtes	vs eûtes	bu
ils burent	ils eurent	bu
Conditionnel présent	**Conditionnel passé**	
je boirais	j' aurais	bu
tu boirais	tu aurais	bu
il boirait	il aurait	bu
ns boirions	ns aurions	bu
vs boiriez	vs auriez	bu
ils boiraient	ils auraient	bu

SUBJONCTIF		
Présent	**Passé**	
je boive	j' aie	bu
tu boives	tu aies	bu
il boive	il ait	bu
ns buvions	ns ayons	bu
vs buviez	vs ayez	bu
ils boivent	ils aient	bu
Imparfait	**Plus-que-parfait**	
je busse	j' eusse	bu
tu busses	tu eusses	bu
il bût	il eût	bu
ns bussions	ns eussions	bu
vs bussiez	vs eussiez	bu
ils bussent	ils eussent	bu

IMPÉRATIF		
Présent	**Passé**	
bois	aie	bu
buvons	ayons	bu
buvez	ayez	bu

LES VERBES DU TROISIÈME GROUPE

Bouillir

INFINITIF	
Présent	Passé
bouillir	avoir bouilli

PARTICIPE	
Présent	Passé
bouillant	bouilli, e

INDICATIF			
Présent		**Passé composé**	
je bous		j' ai	bouilli
tu bous		tu as	bouilli
il bout		il a	bouilli
ns bouillons		ns avons	bouilli
vs bouillez		vs avez	bouilli
ils bouillent		ils ont	bouilli
Imparfait		**Plus-que-parfait**	
je bouillais		j' avais	bouilli
tu bouillais		tu avais	bouilli
il bouillait		il avait	bouilli
ns bouillions		ns avions	bouilli
vs bouilliez		vs aviez	bouilli
ils bouillaient		ils avaient	bouilli
Futur simple		**Futur antérieur**	
je bouillirai		j' aurai	bouilli
tu bouilliras		tu auras	bouilli
il bouillira		il aura	bouilli
ns bouillirons		ns aurons	bouilli
vs bouillirez		vs aurez	bouilli
ils bouilliront		ils auront	bouilli
Passé simple		**Passé antérieur**	
je bouillis		j' eus	bouilli
tu bouillis		tu eus	bouilli
il bouillit		il eut	bouilli
ns bouillîmes		ns eûmes	bouilli
vs bouillîtes		vs eûtes	bouilli
ils bouillirent		ils eurent	bouilli
Conditionnel présent		**Conditionnel passé**	
je bouillirais		j' aurais	bouilli
tu bouillirais		tu aurais	bouilli
il bouillirait		il aurait	bouilli
ns bouillirions		ns aurions	bouilli
vs bouilliriez		vs auriez	bouilli
ils bouilliraient		ils auraient	bouilli

SUBJONCTIF			
Présent		**Passé**	
je bouille		j' aie	bouilli
tu bouilles		tu aies	bouilli
il bouille		il ait	bouilli
ns bouillions		ns ayons	bouilli
vs bouilliez		vs ayez	bouilli
ils bouillent		ils aient	bouilli
Imparfait		**Plus-que-parfait**	
je bouillisse		j' eusse	bouilli
tu bouillisses		tu eusses	bouilli
il bouillît		il eût	bouilli
ns bouillissions		ns eussions	bouilli
vs bouillissiez		vs eussiez	bouilli
ils bouillissent		ils eussent	bouilli

IMPÉRATIF		
Présent	**Passé**	
bous	aie	bouilli
bouillons	ayons	bouilli
bouillez	ayez	bouilli

LES VERBES DU TROISIÈME GROUPE

Conduire

INFINITIF

Présent	Passé	
conduire	avoir	conduit

PARTICIPE

Présent	Passé
conduisant	conduit, e

INDICATIF

Présent	Passé composé	
je conduis	j' ai	conduit
tu conduis	tu as	conduit
il conduit	il a	conduit
ns conduisons	ns avons	conduit
vs conduisez	vs avez	conduit
ils conduisent	ils ont	conduit

Imparfait	Plus-que-parfait	
je conduisais	j' avais	conduit
tu conduisais	tu avais	conduit
il conduisait	il avait	conduit
ns conduisions	ns avions	conduit
vs conduisiez	vs aviez	conduit
ils conduisaient	ils avaient	conduit

Futur simple	Futur antérieur	
je conduirai	j' aurai	conduit
tu conduiras	tu auras	conduit
il conduira	il aura	conduit
ns conduirons	ns aurons	conduit
vs conduirez	vs aurez	conduit
ils conduiront	ils auront	conduit

Passé simple	Passé antérieur	
je conduisis	j' eus	conduit
tu conduisis	tu eus	conduit
il conduisit	il eut	conduit
ns conduisîmes	ns eûmes	conduit
vs conduisîtes	vs eûtes	conduit
ils conduisirent	ils eurent	conduit

Conditionnel présent	Conditionnel passé	
je conduirais	j' aurais	conduit
tu conduirais	tu aurais	conduit
il conduirait	il aurait	conduit
ns conduirions	ns aurions	conduit
vs conduiriez	vs auriez	conduit
ils conduiraient	ils auraient	conduit

SUBJONCTIF

Présent	Passé	
je conduise	j' aie	conduit
tu conduises	tu aies	conduit
il conduise	il ait	conduit
ns conduisions	ns ayons	conduit
vs conduisiez	vs ayez	conduit
ils conduisent	ils aient	conduit

Imparfait	Plus-que-parfait	
je conduisisse	j' eusse	conduit
tu conduisisses	tu eusses	conduit
il conduisît	il eût	conduit
ns conduisissions	ns eussions conduit	
vs conduisissiez	vs eussiez	conduit
ils conduisissent	ils eussent	conduit

IMPÉRATIF

Présent	Passé	
conduis	aie	conduit
conduisons	ayons	conduit
conduisez	ayez	conduit

• Même conjugaison pour *construire, cuire, déduire, détruire, enduire, induire, instruire, introduire, produire, réduire, séduire, traduire.*
• *Luire, nuire, reluire* ont comme participe passé : *lui, nui, relui.*
• *Luire* et *reluire* ont une autre forme de passé simple : *je reluis, il reluit, nous reluîmes, ils reluirent.*

125

LES VERBES DU TROISIÈME GROUPE

Connaître

INFINITIF		
Présent	**Passé**	
connaître	avoir	connu

PARTICIPE		
Présent	**Passé**	
connaissant	connu, e	

INDICATIF		
Présent	**Passé composé**	
je connais	j' ai	connu
tu connais	tu as	connu
il connaît	il a	connu
ns connaissons	ns avons	connu
vs connaissez	vs avez	connu
ils connaissent	ils ont	connu
Imparfait	**Plus-que-parfait**	
je connaissais	j' avais	connu
tu connaissais	tu avais	connu
il connaissait	il avait	connu
ns connaissions	ns avions	connu
vs connaissiez	vs aviez	connu
ils connaissaient	ils avaient	connu
Futur simple	**Futur antérieur**	
je connaîtrai	j' aurai	connu
tu connaîtras	tu auras	connu
il connaîtra	il aura	connu
ns connaîtrons	ns aurons	connu
vs connaîtrez	vs aurez	connu
ils connaîtront	ils auront	connu
Passé simple	**Passé antérieur**	
je connus	j' eus	connu
tu connus	tu eus	connu
il connut	il eut	connu
ns connûmes	ns eûmes	connu
vs connûtes	vs eûtes	connu
ils connurent	ils eurent	connu
Conditionnel présent	**Conditionnel passé**	
je connaîtrais	j' aurais	connu
tu connaîtrais	tu aurais	connu
il connaîtrait	il aurait	connu
ns connaîtrions	ns aurions	connu
vs connaîtriez	vs auriez	connu
ils connaîtraient	ils auraient	connu

SUBJONCTIF		
Présent	**Passé**	
je connaisse	j' aie	connu
tu connaisses	tu aies	connu
il connaisse	il ait	connu
ns connaissions	ns ayons	connu
vs connaissiez	vs ayez	connu
ils connaissent	ils aient	connu
Imparfait	**Plus-que-parfait**	
je connusse	j' eusse	connu
tu connusses	tu eusses	connu
il connût	il eût	connu
ns connussions	ns eussions	connu
vs connussiez	vs eussiez	connu
ils connussent	ils eussent	connu

IMPÉRATIF		
Présent	**Passé**	
connais	aie	connu
connaissons	ayons	connu
connaissez	ayez	connu

• Même conjugaison pour *apparaître, disparaître, paraître, reconnaître*.
• Les « Rectifications de l'orthographe » de 1990 autorisent la suppression de l'accent circonflexe sur le î dans l'ensemble de la conjugaison : *connaitre*.

LES VERBES DU TROISIÈME GROUPE

Convaincre

INFINITIF		
Présent	**Passé**	
convaincre	avoir	convaincu

PARTICIPE		
Présent	**Passé**	
convainquant	convaincu, e	

INDICATIF			
Présent		**Passé composé**	
je convaincs	j'	ai	convaincu
tu convaincs	tu	as	convaincu
il convainc	il	a	convaincu
ns convainquons	ns	avons	convaincu
vs convainquez	vs	avez	convaincu
ils convainquent	ils	ont	convaincu
Imparfait		**Plus-que-parfait**	
je convainquais	j'	avais	convaincu
tu convainquais	tu	avais	convaincu
il convainquait	il	avait	convaincu
ns convainquions	ns	avions	convaincu
vs convainquiez	vs	aviez	convaincu
ils convainquaient	ils	avaient	convaincu
Futur simple		**Futur antérieur**	
je convaincrai	j'	aurai	convaincu
tu convaincras	tu	auras	convaincu
il convaincra	il	aura	convaincu
ns convaincrons	ns	aurons	convaincu
vs convaincrez	vs	aurez	convaincu
ils convaincront	ils	auront	convaincu
Passé simple		**Passé antérieur**	
je convainquis	j'	eus	convaincu
tu convainquis	tu	eus	convaincu
il convainquit	il	eut	convaincu
ns convainquîmes	ns	eûmes	convaincu
vs convainquîtes	vs	eûtes	convaincu
ils convainquirent	ils	eurent	convaincu
Conditionnel présent		**Conditionnel passé**	
je convaincrais	j'	aurais	convaincu
tu convaincrais	tu	aurais	convaincu
il convaincrait	il	aurait	convaincu
ns convaincrions	ns	aurions	convaincu
vs convaincriez	vs	auriez	convaincu
ils convaincraient	ils	auraient	convaincu

SUBJONCTIF			
Présent		**Passé**	
je convainque	j'	aie	convaincu
tu convainques	tu	aies	convaincu
il convainque	il	ait	convaincu
ns convainquions	ns	ayons	convaincu
vs convainquiez	vs	ayez	convaincu
ils convainquent	ils	aient	convaincu
Imparfait		**Plus-que-parfait**	
je convainquisse	j'	eusse	convaincu
tu convainquisses	tu	eusses	convaincu
il convainquît	il	eût	convaincu
ns convainquissions	ns	eussions	convaincu
vs convainquissiez	vs	eussiez	convaincu
ils convainquissent	ils	eussent	convaincu

IMPÉRATIF		
Présent	**Passé**	
convaincs	aie	convaincu
convainquons	ayons	convaincu
convainquez	ayez	convaincu

Même conjugaison pour *vaincre*.

LES VERBES DU TROISIÈME GROUPE

Coudre

INFINITIF	
Présent	Passé
coudre	avoir cousu

PARTICIPE	
Présent	Passé
cousant	cousu, e

INDICATIF

Présent	Passé composé	
je couds	j' ai	cousu
tu couds	tu as	cousu
il coud	il a	cousu
ns cousons	ns avons	cousu
vs cousez	vs avez	cousu
ils cousent	ils ont	cousu

Imparfait	Plus-que-parfait	
je cousais	j' avais	cousu
tu cousais	tu avais	cousu
il cousait	il avait	cousu
ns cousions	ns avions	cousu
vs cousiez	vs aviez	cousu
ils cousaient	ils avaient	cousu

Futur simple	Futur antérieur	
je coudrai	j' aurai	cousu
tu coudras	tu auras	cousu
il coudra	il aura	cousu
ns coudrons	ns aurons	cousu
vs coudrez	vs aurez	cousu
ils coudront	ils auront	cousu

Passé simple	Passé antérieur	
je cousis	j' eus	cousu
tu cousis	tu eus	cousu
il cousit	il eut	cousu
ns cousîmes	ns eûmes	cousu
vs cousîtes	vs eûtes	cousu
ils cousirent	ils eurent	cousu

Conditionnel présent	Conditionnel passé	
je coudrais	j' aurais	cousu
tu coudrais	tu aurais	cousu
il coudrait	il aurait	cousu
ns coudrions	ns aurions	cousu
vs coudriez	vs auriez	cousu
ils coudraient	ils auraient	cousu

SUBJONCTIF

Présent	Passé	
je couse	j' aie	cousu
tu couses	tu aies	cousu
il couse	il ait	cousu
ns cousions	ns ayons	cousu
vs cousiez	vs ayez	cousu
ils cousent	ils aient	cousu

Imparfait	Plus-que-parfait	
je cousisse	j' eusse	cousu
tu cousisses	tu eusses	cousu
il cousît	il eût	cousu
ns cousissions	ns eussions	cousu
vs cousissiez	vs eussiez	cousu
ils cousissent	ils eussent	cousu

IMPÉRATIF	
Présent	Passé
couds	aie cousu
cousons	ayons cousu
cousez	ayez cousu

Moudre se conjugue comme *coudre* mais avec un *l* au lieu de *s* :
Je mouds, nous moulons. Je moulais.
J'ai moulu. Passé simple : *Je moulus.*

LES VERBES DU TROISIÈME GROUPE

Courir

INFINITIF		
Présent	**Passé**	
courir	avoir	couru

PARTICIPE		
Présent	**Passé**	
courant	couru, e	

INDICATIF		
Présent	**Passé composé**	
je cours	j' ai	couru
tu cours	tu as	couru
il court	il a	couru
ns courons	ns avons	couru
vs courez	vs avez	couru
ils courent	ils ont	couru
Imparfait	**Plus-que-parfait**	
je courais	j' avais	couru
tu courais	tu avais	couru
il courait	il avait	couru
ns courions	ns avions	couru
vs couriez	vs aviez	couru
ils couraient	ils avaient	couru
Futur simple	**Futur antérieur**	
je courrai	j' aurai	couru
tu courras	tu auras	couru
il courra	il aura	couru
ns courrons	ns aurons	couru
vs courrez	vs aurez	couru
ils courront	ils auront	couru
Passé simple	**Passé antérieur**	
je courus	j' eus	couru
tu courus	tu eus	couru
il courut	il eut	couru
ns courûmes	ns eûmes	couru
vs courûtes	vs eûtes	couru
ils coururent	ils eurent	couru
Conditionnel présent	**Conditionnel passé**	
je courrais	j' aurais	couru
tu courrais	tu aurais	couru
il courrait	il aurait	couru
ns courrions	ns aurions	couru
vs courriez	vs auriez	couru
ils courraient	ils auraient	couru

SUBJONCTIF		
Présent	**Passé**	
je coure	j' aie	couru
tu coures	tu aies	couru
il coure	il ait	couru
ns courions	ns ayons	couru
vs couriez	vs ayez	couru
ils courent	ils aient	couru
Imparfait	**Plus-que-parfait**	
je courusse	j' eusse	couru
tu courusses	tu eusses	couru
il courût	il eût	couru
ns courussions	ns eussions	couru
vs courussiez	vs eussiez	couru
ils courussent	ils eussent	couru

IMPÉRATIF		
Présent	**Passé**	
cours	aie	couru
courons	ayons	couru
courez	ayez	couru

Même conjugaison pour *accourir, concourir, parcourir, recourir, secourir.*

129

LES VERBES DU TROISIÈME GROUPE

Croire

<table>
<tr><td colspan="3">INFINITIF</td></tr>
<tr><td>Présent</td><td colspan="2">Passé</td></tr>
<tr><td>croire</td><td>avoir</td><td>cru</td></tr>
</table>

<table>
<tr><td colspan="3">PARTICIPE</td></tr>
<tr><td>Présent</td><td colspan="2">Passé</td></tr>
<tr><td>croyant</td><td colspan="2">cru, e</td></tr>
</table>

INDICATIF

Présent	Passé composé		
je crois	j'	ai	cru
tu crois	tu	as	cru
il croit	il	a	cru
ns croyons	ns	avons	cru
vs croyez	vs	avez	cru
ils croient	ils	ont	cru

Imparfait	Plus-que-parfait		
je croyais	j'	avais	cru
tu croyais	tu	avais	cru
il croyait	il	avait	cru
ns croyions	ns	avions	cru
vs croyiez	vs	aviez	cru
ils croyaient	ils	avaient	cru

Futur simple	Futur antérieur		
je croirai	j'	aurai	cru
tu croiras	tu	auras	cru
il croira	il	aura	cru
ns croirons	ns	aurons	cru
vs croirez	vs	aurez	cru
ils croiront	ils	auront	cru

Passé simple	Passé antérieur		
je crus	j'	eus	cru
tu crus	tu	eus	cru
il crut	il	eut	cru
ns crûmes	ns	eûmes	cru
vs crûtes	vs	eûtes	cru
ils crurent	ils	eurent	cru

Conditionnel présent	Conditionnel passé		
je croirais	j'	aurais	cru
tu croirais	tu	aurais	cru
il croirait	il	aurait	cru
ns croirions	ns	aurions	cru
vs croiriez	vs	auriez	cru
ils croiraient	ils	auraient	cru

SUBJONCTIF

Présent	Passé		
je croie	j'	aie	cru
tu croies	tu	aies	cru
il croie	il	ait	cru
ns croyions	ns	ayons	cru
vs croyiez	vs	ayez	cru
ils croient	ils	aient	cru

Imparfait	Plus-que-parfait		
je crusse	j'	eusse	cru
tu crusses	tu	eusses	cru
il crût	il	eût	cru
ns crussions	ns	eussions	cru
vs crussiez	vs	eussiez	cru
ils crussent	ils	eussent	cru

IMPÉRATIF

Présent	Passé	
crois	aie	cru
croyons	ayons	cru
croyez	ayez	cru

LES VERBES DU TROISIÈME GROUPE

Croître

INFINITIF		
Présent	Passé	
croître	avoir crû	

PARTICIPE		
Présent	Passé	
croissant	crû	

INDICATIF		
Présent	Passé composé	
je crois	j' ai	crû
tu crois	tu as	crû
il croît	il a	crû
ns croissons	ns avons	crû
vs croissez	vs avez	crû
ils croissent	ils ont	crû
Imparfait	Plus-que-parfait	
je croissais	j' avais	crû
tu croissais	tu avais	crû
il croissait	il avait	crû
ns croissions	ns avions	crû
vs croissiez	vs aviez	crû
ils croissaient	ils avaient	crû
Futur simple	Futur antérieur	
je croîtrai	j' aurai	crû
tu croîtras	tu auras	crû
il croîtra	il aura	crû
ns croîtrons	ns aurons	crû
vs croîtrez	vs aurez	crû
ils croîtront	ils auront	crû
Passé simple	Passé antérieur	
je crûs	j' eus	crû
tu crûs	tu eus	crû
il crût	il eut	crû
ns crûmes	ns eûmes	crû
vs crûtes	vs eûtes	crû
ils crûrent	ils eurent	crû
Conditionnel présent	Conditionnel passé	
je croîtrais	j' aurais	crû
tu croîtrais	tu aurais	crû
il croîtrait	il aurait	crû
ns croîtrions	ns aurions	crû
vs croîtriez	vs auriez	crû
ils croîtraient	ils auraient	crû

SUBJONCTIF		
Présent	Passé	
je croisse	j' aie	crû
tu croisses	tu aies	crû
il croisse	il ait	crû
ns croissions	ns ayons	crû
vs croissiez	vs ayez	crû
ils croissent	ils aient	crû
Imparfait	Plus-que-parfait	
je crûsse	j' eusse	crû
tu crûsses	tu eusses	crû
il crût	il eût	crû
ns crûssions	ns eussions	crû
vs crûssiez	vs eussiez	crû
ils crûssent	ils eussent	crû

IMPÉRATIF		
Présent	Passé	
crois	aie	crû
croissons	ayons	crû
croissez	ayez	crû

• On peut aussi écrire l'imparfait du subjonctif sans accent circonflexe : *je crusse, tu crusses, nous crussions, vous crussiez, ils crussent.* Mais : *il crût.*

• Même conjugaison pour *accroître* et *décroître*. Mais le singulier du passé simple et les participes passés sont sans accent circonflexe. *J'accrus, nous accrûmes. Son gain a été accru.*

•Les « Rectifications de l'orthographe » de 1990 autorisent la suppression de l'accent circonflexe sur le î dans l'ensemble de la conjugaison : *croitre.*

LES VERBES DU TROISIÈME GROUPE

Cueillir

INFINITIF	
Présent	Passé
cueillir	avoir cueilli

PARTICIPE	
Présent	Passé
cueillant	cueilli, e

INDICATIF

Présent	Passé composé	
je cueille	j' ai	cueilli
tu cueilles	tu as	cueilli
il cueille	il a	cueilli
ns cueillons	ns avons	cueilli
vs cueillez	vs avez	cueilli
ils cueillent	ils ont	cueilli

Imparfait	Plus-que-parfait	
je cueillais	j' avais	cueilli
tu cueillais	tu avais	cueilli
il cueillait	il avait	cueilli
ns cueillions	ns avions	cueilli
vs cueilliez	vs aviez	cueilli
ils cueillaient	ils avaient	cueilli

Futur simple	Futur antérieur	
je cueillerai	j' aurai	cueilli
tu cueilleras	tu auras	cueilli
il cueillera	il aura	cueilli
ns cueillerons	ns aurons	cueilli
vs cueillerez	vs aurez	cueilli
ils cueilleront	ils auront	cueilli

Passé simple	Passé antérieur	
je cueillis	j' eus	cueilli
tu cueillis	tu eus	cueilli
il cueillit	il eut	cueilli
ns cueillîmes	ns eûmes	cueilli
vs cueillîtes	vs eûtes	cueilli
ils cueillirent	ils eurent	cueilli

Conditionnel présent	Conditionnel passé	
je cueillerais	j' aurais	cueilli
tu cueillerais	tu aurais	cueilli
il cueillerait	il aurait	cueilli
ns cueillerions	ns aurions	cueilli
vs cueilleriez	vs auriez	cueilli
ils cueilleraient	ils auraient	cueilli

SUBJONCTIF

Présent	Passé	
je cueille	j' aie	cueilli
tu cueilles	tu aies	cueilli
il cueille	il ait	cueilli
ns cueillions	ns ayons	cueilli
vs cueilliez	vs ayez	cueilli
ils cueillent	ils aient	cueilli

Imparfait	Plus-que-parfait	
je cueillisse	j' eusse	cueilli
tu cueillisses	tu eusses	cueilli
il cueillît	il eût	cueilli
ns cueillissions	ns eussions	cueilli
vs cueillissiez	vs eussiez	cueilli
ils cueillissent	ils eussent	cueilli

IMPÉRATIF

Présent	Passé	
cueille	aie	cueilli
cueillons	ayons	cueilli
cueillez	ayez	cueilli

Même conjugaison pour *accueillir* et *recueillir*.

LES VERBES DU TROISIÈME GROUPE

Devoir

INFINITIF	
Présent	Passé
devoir	avoir dû

PARTICIPE	
Présent	Passé
devant	dû, due, dus, dues

INDICATIF

Présent	Passé composé	
je dois	j' ai	dû
tu dois	tu as	dû
il doit	il a	dû
ns devons	ns avons	dû
vs devez	vs avez	dû
ils doivent	ils ont	dû

Imparfait	Plus-que-parfait	
je devais	j' avais	dû
tu devais	tu avais	dû
il devait	il avait	dû
ns devions	ns avions	dû
vs deviez	vs aviez	dû
ils devaient	ils avaient	dû

Futur simple	Futur antérieur	
je devrai	j' aurai	dû
tu devras	tu auras	dû
il devra	il aura	dû
ns devrons	ns aurons	dû
vs devrez	vs aurez	dû
ils devront	ils auront	dû

Passé simple	Passé antérieur	
je dus	j' eus	dû
tu dus	tu eus	dû
il dut	il eut	dû
ns dûmes	ns eûmes	dû
vs dûtes	vs eûtes	dû
ils durent	ils eurent	dû

Conditionnel présent	Conditionnel passé	
je devrais	j' aurais	dû
tu devrais	tu aurais	dû
il devrait	il aurait	dû
ns devrions	ns aurions	dû
vs devriez	vs auriez	dû
ils devraient	ils auraient	dû

SUBJONCTIF

Présent	Passé	
je doive	j' aie	dû
tu doives	tu aies	dû
il doive	il ait	dû
ns devions	ns ayons	dû
vs deviez	vs ayez	dû
ils doivent	ils aient	dû

Imparfait	Plus-que-parfait	
je dusse	j' eusse	dû
tu dusses	tu eusses	dû
il dût	il eût	dû
ns dussions	ns eussions	dû
vs dussiez	vs eussiez	dû
ils dussent	ils eussent	dû

IMPÉRATIF

Présent	Passé
inusité	*inusité*

Même conjugaison pour *apercevoir, concevoir, décevoir, percevoir, recevoir.* Mais les participes passés sont sans accent circonflexe : *aperçu, conçu, déçu, perçu, reçu.*

LES VERBES DU TROISIÈME GROUPE

Dire

INFINITIF		PARTICIPE	
Présent	**Passé**	**Présent**	**Passé**
dire	avoir dit	disant	dut, e

INDICATIF

Présent		Passé composé		
je dis		j' ai	dit	
tu dis		tu as	dit	
il dit		il a	dit	
ns disons		ns avons	dit	
vs dites		vs avez	dit	
ils disent		ils ont	dit	

Imparfait		Plus-que-parfait	
je disais		j' avais	dit
tu disais		tu avais	dit
il disait		il avait	dit
ns disions		ns avions	dit
vs disiez		vs aviez	dit
ils disaient		ils avaient	dit

Futur simple		Futur antérieur	
je dirai		j' aurai	dit
tu diras		tu auras	dit
il dira		il aura	dit
ns dirons		ns aurons	dit
vs direz		vs aurez	dit
ils diront		ils auront	dit

Passé simple		Passé antérieur	
je dis		j' eus	dit
tu dis		tu eus	dit
il dit		il eut	dit
ns dîmes		ns eûmes	dit
vs dîtes		vs eûtes	dit
ils dirent		ils eurent	dit

Conditionnel présent		Conditionnel passé	
je dirais		j' aurais	dit
tu dirais		tu aurais	dit
il dirait		il aurait	dit
ns dirions		ns aurions	dit
vs diriez		vs auriez	dit
ils diraient		ils auraient	dit

SUBJONCTIF

Présent		Passé		
je dise		j' aie	dit	
tu dises		tu aies	dit	
il dise		il ait	dit	
ns disions		ns ayons	dit	
vs disiez		vs ayez	dit	
ils disent		ils aient	dit	

Imparfait		Plus-que-parfait	
je disse		j' eusse	dit
tu disses		tu eusses	dit
il dît		il eût	dit
ns dissions		ns eussions	dit
vs dissiez		vs eussiez	dit
ils dissent		ils eussent	dit

IMPÉRATIF

Présent	Passé	
dis	aie	dit
disons	ayons	dit
dites	ayez	dit

• Même conjugaison pour *redire*.
• Pour les verbes *contredire, interdire, médire* et *prédire*, même conjugaison, mais avec deux différences.
Au présent : *vous contredisez, vous interdisez...*
À l'impératif : *contredisez, interdisez...*
• Pour *suffire*, même conjugaison, mais avec trois différences.
Au présent : *vous suffisez.*
À l'impératif : *suffisez.*
Au participe passé : *suffi.*

LES VERBES DU TROISIÈME GROUPE

Dissoudre

INFINITIF		PARTICIPE	
Présent	**Passé**	**Présent**	**Passé**
dissoudre	avoir dissous	dissolvant	dissous, oute

INDICATIF

Présent	Passé composé	
je dissous	j' ai	dissous
tu dissous	tu as	dissous
il dissout	il a	dissous
ns dissolvons	ns avons	dissous
vs dissolvez	vs avez	dissous
ils dissolvent	ils ont	dissous

Imparfait	Plus-que-parfait	
je dissolvais	j' avais	dissous
tu dissolvais	tu avais	dissous
il dissolvait	il avait	dissous
ns dissolvions	ns avions	dissous
vs dissolviez	vs aviez	dissous
ils dissolvaient	ils avaient	dissous

Futur simple	Futur antérieur	
je dissoudrai	j' aurai	dissous
tu dissoudras	tu auras	dissous
il dissoudra	il aura	dissous
ns dissoudrons	ns aurons	dissous
vs dissoudrez	vs aurez	dissous
ils dissoudront	ils auront	dissous

Passé simple	Passé antérieur	
je dissolus	j' eus	dissous
tu dissolus	tu eus	dissous
il dissolut	il eut	dissous
ns dissolûmes	ns eûmes	dissous
vs dissolûtes	vs eûtes	dissous
ils dissolurent	ils eurent	dissous

Conditionnel présent	Conditionnel passé	
je dissoudrais	j' aurais	dissous
tu dissoudrais	tu aurais	dissous
il dissoudrait	il aurait	dissous
ns dissoudrions	ns aurions	dissous
vs dissoudriez	vs auriez	dissous
ils dissoudraient	ils auraient	dissous

SUBJONCTIF

Présent	Passé	
je dissolve	j' aie	dissous
tu dissolves	tu aies	dissous
il dissolve	il ait	dissous
ns dissolvions	ns ayons	dissous
vs dissolviez	vs ayez	dissous
ils dissolvent	ils aient	dissous

Imparfait	Plus-que-parfait	
je dissolusse	j' eusse	dissous
tu dissolusses	tu eusses	dissous
il dissolût	il eût	dissous
ns dissolussions	ns eussions	dissous
vs dissolussiez	vs eussiez	dissous
ils dissolussent	ils eussent	dissous

IMPÉRATIF

Présent	Passé	
dissous	aie	dissolu
dissolvons	ayons	dissolu
dissolvez	ayez	dissolu

Même conjugaison pour *résoudre*.
Mais le participe passé est différent : *résolu, résolue*.

LES VERBES DU TROISIÈME GROUPE

Dormir

INFINITIF	
Présent	**Passé**
dormir	avoir dormi

PARTICIPE	
Présent	**Passé**
dormant	dormi

INDICATIF

Présent	Passé composé	
je dors	j' ai	dormi
tu dors	tu as	dormi
il dort	il a	dormi
ns dormons	ns avons	dormi
vs dormez	vs avez	dormi
ils dorment	ils ont	dormi

Imparfait	Plus-que-parfait	
je dormais	j' avais	dormi
tu dormais	tu avais	dormi
il dormait	il avait	dormi
ns dormions	ns avions	dormi
vs dormiez	vs aviez	dormi
ils dormaient	ils avaient	dormi

Futur simple	Futur antérieur	
je dormirai	j' aurai	dormi
tu dormiras	tu auras	dormi
il dormira	il aura	dormi
ns dormirons	ns aurons	dormi
vs dormirez	vs aurez	dormi
ils dormiront	ils auront	dormi

Passé simple	Passé antérieur	
je dormis	j' eus	dormi
tu dormis	tu eus	dormi
il dormit	il eut	dormi
ns dormîmes	ns eûmes	dormi
vs dormîtes	vs eûtes	dormi
ils dormirent	ils eurent	dormi

Conditionnel présent	Conditionnel passé	
je dormirais	j' aurais	dormi
tu dormirais	tu aurais	dormi
il dormirait	il aurait	dormi
ns dormirions	ns aurions	dormi
vs dormiriez	vs auriez	dormi
ils dormiraient	ils auraient	dormi

SUBJONCTIF

Présent	Passé	
je dorme	j' aie	dormi
tu dormes	tu aies	dormi
il dorme	il ait	dormi
ns dormions	ns ayons	dormi
vs dormiez	vs ayez	dormi
ils dorment	ils aient	dormi

Imparfait	Plus-que-parfait	
je dormisse	j' eusse	dormi
tu dormisses	tu eusses	dormi
il dormît	il eût	dormi
ns dormissions	ns eussions	dormi
vs dormissiez	vs eussiez	dormi
ils dormissent	ils eussent	dormi

IMPÉRATIF

Présent	Passé	
dors	aie	dormi
dormons	ayons	dormi
dormez	ayez	dormi

• Même conjugaison pour *endormir*.
• Conjugaison analogue pour *mentir, sentir, consentir, servir, partir* et *sortir*. Comme *dormir*, ce sont des verbes qui perdent tous la deuxième syllabe de l'infinitif dans la conjugaison du singulier du présent : *dormir → je dors* ; *mentir → je mens* ; *sentir → je sens* ; *servir → je sers* ; *partir → je pars* ; *sortir → je sors*. À toutes les autres personnes des autres temps, ces verbes ne diffèrent entre eux que par la consonne qui ouvre la dernière syllabe : *nous dormons, nous mentons, nous sentons, nous servons, nous partons, nous sortons*.

LES VERBES DU TROISIÈME GROUPE

Écrire

INFINITIF	
Présent	Passé
écrire	avoir écrit

PARTICIPE	
Présent	Passé
écrivant	écrit, e

INDICATIF

Présent	Passé composé	
j' écris	j' ai	écrit
tu écris	tu as	écrit
il écrit	il a	écrit
ns écrivons	ns avons	écrit
vs écrivez	vs avez	écrit
ils écrivent	ils ont	écrit

Imparfait	Plus-que-parfait	
j' écrivais	j' avais	écrit
tu écrivais	tu avais	écrit
il écrivait	il avait	écrit
ns écrivions	ns avions	écrit
vs écriviez	vs aviez	écrit
ils écrivaient	ils avaient	écrit

Futur simple	Futur antérieur	
j' écrirai	j' aurai	écrit
tu écriras	tu auras	écrit
il écrira	il aura	écrit
ns écrirons	ns aurons	écrit
vs écrirez	vs aurez	écrit
ils écriront	ils auront	écrit

Passé simple	Passé antérieur	
j' écrivis	j' eus	écrit
tu écrivis	tu eus	écrit
il écrivit	il eut	écrit
ns écrivîmes	ns eûmes	écrit
vs écrivîtes	vs eûtes	écrit
ils écrivirent	ils eurent	écrit

Conditionnel présent	Conditionnel passé	
j' écrirais	j' aurais	écrit
tu écrirais	tu aurais	écrit
il écrirait	il aurait	écrit
ns écririons	ns aurions	écrit
vs écririez	vs auriez	écrit
ils écriraient	ils auraient	écrit

SUBJONCTIF

Présent	Passé	
j' écrive	j' aie	écrit
tu écrives	tu aies	écrit
il écrive	il ait	écrit
ns écrivions	ns ayons	écrit
vs écriviez	vs ayez	écrit
ils écrivent	ils aient	écrit

Imparfait	Plus-que-parfait	
j' écrivisse	j' eusse	écrit
tu écrivisses	tu eusses	écrit
il écrivît	il eût	écrit
ns écrivissions	ns eussions écrit	
vs écrivissiez	vs eussiez	écrit
ils écrivissent	ils eussent	écrit

IMPÉRATIF

Présent	Passé	
écris	aie	écrit
écrivons	ayons	écrit
écrivez	ayez	écrit

Même conjugaison pour *décrire, inscrire, prescrire, proscrire, souscrire, transcrire.*

LES VERBES DU TROISIÈME GROUPE

Émouvoir

INFINITIF

Présent	Passé
émouvoir	avoir ému

PARTICIPE

Présent	Passé
émouvant	ému, e

INDICATIF

Présent	Passé composé
j' émeus	j' ai ému
tu émeus	tu as ému
il émeut	il a ému
ns émouvons	ns avons ému
vs émouvez	vs avez ému
ils émeuvent	ils ont ému

Imparfait	Plus-que-parfait
j' émouvais	j' avais ému
tu émouvais	tu avais ému
il émouvait	il avait ému
ns émouvions	ns avions ému
vs émouviez	vs aviez ému
ils émouvaient	ils avaient ému

Futur simple	Futur antérieur
j' émouvrai	j' aurai ému
tu émouvras	tu auras ému
il émouvra	il aura ému
ns émouvrons	ns aurons ému
vs émouvrez	vs aurez ému
ils émouvront	ils auront ému

Passé simple	Passé antérieur
j' émus	j' eus ému
tu émus	tu eus ému
il émut	il eut ému
ns émûmes	ns eûmes ému
vs émûtes	vs eûtes ému
ils émurent	ils eurent ému

Conditionnel présent	Conditionnel passé
j' émouvrais	j' aurais ému
tu émouvrais	tu aurais ému
il émouvrait	il aurait ému
ns émouvrions	ns aurions ému
vs émouvriez	vs auriez ému
ils émouvraient	ils auraient ému

SUBJONCTIF

Présent	Passé
j' émeuve	j' aie ému
tu émeuves	tu aies ému
il émeuve	il ait ému
ns émouvions	ns ayons ému
vs émouviez	vs ayez ému
ils émeuvent	ils aient ému

Imparfait	Plus-que-parfait
j' émusse	j' eusse ému
tu émusses	tu eusses ému
il émût	il eût ému
ns émussions	ns eussions ému
vs émussiez	vs eussiez ému
ils émussent	ils eussent ému

IMPÉRATIF

Présent	Passé
émeus	aie ému
émouvons	ayons ému
émouvez	ayez ému

Même conjugaison pour *mouvoir*, sauf au participe passé : *mû, mue, mus, mues.*

LES VERBES DU TROISIÈME GROUPE

Faire

INFINITIF			PARTICIPE		
Présent	**Passé**		**Présent**	**Passé**	
faire	avoir	fait	faisant	fait, e	

INDICATIF

Présent		Passé composé		
je fais		j' ai	fait	
tu fais		tu as	fait	
il fait		il a	fait	
ns faisons		ns avons	fait	
vs faites		vs avez	fait	
ils font		ils ont	fait	

Imparfait		Plus-que-parfait		
je faisais		j' avais	fait	
tu faisais		tu avais	fait	
il faisait		il avait	fait	
ns faisions		ns avions	fait	
vs faisiez		vs aviez	fait	
ils faisaient		ils avaient	fait	

Futur simple		Futur antérieur		
je ferai		j' aurai	fait	
tu feras		tu auras	fait	
il fera		il aura	fait	
ns ferons		ns aurons	fait	
vs ferez		vs aurez	fait	
ils feront		ils auront	fait	

Passé simple		Passé antérieur		
je fis		j' eus	fait	
tu fis		tu eus	fait	
il fit		il eut	fait	
ns fîmes		ns eûmes	fait	
vs fîtes		vs eûtes	fait	
ils firent		ils eurent	fait	

Conditionnel présent		Conditionnel passé		
je ferais		j' aurais	fait	
tu ferais		tu aurais	fait	
il ferait		il aurait	fait	
ns ferions		ns aurions	fait	
vs feriez		vs auriez	fait	
ils feraient		ils auraient	fait	

SUBJONCTIF

Présent		Passé		
je fasse		j' aie	fait	
tu fasses		tu aies	fait	
il fasse		il ait	fait	
ns fassions		ns ayons	fait	
vs fassiez		vs ayez	fait	
ils fassent		ils aient	fait	

Imparfait		Plus-que-parfait		
je fisse		j' eusse	fait	
tu fisses		tu eusses	fait	
il fît		il eût	fait	
ns fissions		ns eussions	fait	
vs fissiez		vs eussiez	fait	
ils fissent		ils eussent	fait	

IMPÉRATIF

Présent	Passé	
fais	aie	fait
faisons	ayons	fait
faites	ayez	fait

Même conjugaison pour *défaire* et *refaire*.

139

LES VERBES DU TROISIÈME GROUPE

Fuir

INFINITIF	
Présent	Passé
fuir	avoir fui

PARTICIPE	
Présent	Passé
fuyant	fui, e

INDICATIF

Présent	Passé composé	
je fuis	j' ai	fui
tu fuis	tu as	fui
il fuit	il a	fui
ns fuyons	ns avons	fui
vs fuyez	vs avez	fui
ils fuient	ils ont	fui

Imparfait	Plus-que-parfait	
je fuyais	j' avais	fui
tu fuyais	tu avais	fui
il fuyait	il avait	fui
ns fuyions	ns avions	fui
vs fuyiez	vs aviez	fui
ils fuyaient	ils avaient	fui

Futur simple	Futur antérieur	
je fuirai	j' aurai	fui
tu fuiras	tu auras	fui
il fuira	il aura	fui
ns fuirons	ns aurons	fui
vs fuirez	vs aurez	fui
ils fuiront	ils auront	fui

Passé simple	Passé antérieur	
je fuis	j' eus	fui
tu fuis	tu eus	fui
il fuit	il eut	fui
ns fuîmes	ns eûmes	fui
vs fuîtes	vs eûtes	fui
ils fuirent	ils eurent	fui

Conditionnel présent	Conditionnel passé	
je fuirais	j' aurais	fui
tu fuirais	tu aurais	fui
il fuirait	il aurait	fui
ns fuirions	ns aurions	fui
vs fuiriez	vs auriez	fui
ils fuiraient	ils auraient	fui

SUBJONCTIF

Présent	Passé	
je fuie	j' aie	fui
tu fuies	tu aies	fui
il fuie	il ait	fui
ns fuyions	ns ayons	fui
vs fuyiez	vs ayez	fui
ils fuient	ils aient	fui

Imparfait	Plus-que-parfait	
je fuisse	j' eusse	fui
tu fuisses	tu eusses	fui
il fuît	il eût	fui
ns fuissions	ns eussions	fui
vs fuissiez	vs eussiez	fui
ils fuissent	ils eussent	fui

IMPÉRATIF

Présent	Passé	
fuis	aie	fui
fuyons	ayons	fui
fuyez	ayez	fui

Même conjugaison pour *s'enfuir*.

LES VERBES DU TROISIÈME GROUPE

Interrompre

INFINITIF		
Présent	Passé	
interrompre	avoir	interrompu

PARTICIPE		
Présent	Passé	
interrompant	interrompu, e	

INDICATIF

Présent	Passé composé	
j' interromps	j' ai	interrompu
tu interromps	tu as	interrompu
il interrompt	il a	interrompu
ns interrompons	ns avons	interrompu
vs interrompez	vs avez	interrompu
ils interrompent	ils ont	interrompu

Imparfait	Plus-que-parfait	
j' interrompais	j' avais	interrompu
tu interrompais	tu avais	interrompu
il interrompait	il avait	interrompu
ns interrompions	ns avions	interrompu
vs interrompiez	vs aviez	interrompu
ils interrompaient	ils avaient	interrompu

Futur simple	Futur antérieur	
j' interromprai	j' aurai	interrompu
tu interrompras	tu auras	interrompu
il interrompra	il aura	interrompu
ns interromprons	ns aurons	interrompu
vs interromprez	vs aurez	interrompu
ils interrompront	ils auront	interrompu

Passé simple	Passé antérieur	
j' interrompis	j' eus	interrompu
tu interrompis	tu eus	interrompu
il interrompit	il eut	interrompu
ns interrompîmes	ns eûmes	interrompu
vs interrompîtes	vs eûtes	interrompu
ils interrompirent	ils eurent	interrompu

Conditionnel présent	Conditionnel passé	
j' interromprais	j' aurais	interrompu
tu interromprais	tu aurais	interrompu
il interromprait	il aurait	interrompu
ns interromprions	ns aurions	interrompu
vs interrompriez	vs auriez	interrompu
ils interrompraient	ils auraient	interrompu

SUBJONCTIF

Présent	Passé	
j' interrompe	j' aie	interrompu
tu interrompes	tu aies	interrompu
il interrompe	il ait	interrompu
ns interrompions	ns ayons	interrompu
vs interrompiez	vs ayez	interrompu
ils interrompent	ils aient	interrompu

Imparfait	Plus-que-parfait	
j' interrompisse	j' eusse	interrompu
tu interrompisses	tu eusses	interrompu
il interrompît	il eusse	interrompu
ns interrompissions	ns eussions	interrompu
vs interrompissiez	vs eussiez	interrompu
ils interrompissent	ils eussent	interrompu

IMPÉRATIF

Présent	Passé	
interromps	aie	interrompu
interrompons	ayons	interrompu
interrompez	ayez	interrompu

Même conjugaison pour *corrompre* et *rompre*.

LES VERBES DU TROISIÈME GROUPE

Lire

INFINITIF	
Présent	Passé
lire	avoir lu

PARTICIPE	
Présent	Passé
lisant	lu, e

INDICATIF	
Présent	Passé composé
je lis	j' ai lu
tu lis	tu as lu
il lit	il a lu
ns lisons	ns avons lu
vs lisez	vs avez lu
ils lisent	ils ont lu
Imparfait	Plus-que-parfait
je lisais	j' avais lu
tu lisais	tu avais lu
il lisait	il avait lu
ns lisions	ns avions lu
vs lisiez	vs aviez lu
ils lisaient	ils avaient lu
Futur simple	Futur antérieur
je lirai	j' aurai lu
tu liras	tu auras lu
il lira	il aura lu
ns lirons	ns aurons lu
vs lirez	vs aurez lu
ils liront	ils auront lu
Passé simple	Passé antérieur
je lus	j' eus lu
tu lus	tu eus lu
il lut	il eut lu
ns lûmes	ns eûmes lu
vs lûtes	vs eûtes lu
ils lurent	ils eurent lu
Conditionnel présent	Conditionnel passé
je lirais	j' aurais lu
tu lirais	tu aurais lu
il lirait	il aurait lu
ns lirions	ns aurions lu
vs liriez	vs auriez lu
ils liraient	ils auraient lu

SUBJONCTIF	
Présent	Passé
je lise	j' aie lu
tu lises	tu aies lu
il lise	il ait lu
ns lisions	ns ayons lu
vs lisiez	vs ayez lu
ils lisent	ils aient lu
Imparfait	Plus-que-parfait
je lusse	j' eusse lu
tu lusses	tu eusses lu
il lût	il eût lu
ns lussions	ns eussions lu
vs lussiez	vs eussiez lu
ils lussent	ils eussent lu

IMPÉRATIF	
Présent	Passé
lis	aie lu
lisons	ayons lu
lisez	ayez lu

Même conjugaison pour *relire* et *élire*.

LES VERBES DU TROISIÈME GROUPE

Mettre

INFINITIF	
Présent	Passé
mettre	avoir mis

PARTICIPE	
Présent	Passé
mettant	mis, e

INDICATIF			
Présent		Passé composé	
je mets	j'	ai	mis
tu mets	tu	as	mis
il met	il	a	mis
ns mettons	ns	avons	mis
vs mettez	vs	avez	mis
ils mettent	ils	ont	mis
Imparfait		Plus-que-parfait	
je mettais	j'	avais	mis
tu mettais	tu	avais	mis
il mettait	il	avait	mis
ns mettions	ns	avions	mis
vs mettiez	vs	aviez	mis
ils mettaient	ils	avaient	mis
Futur simple		Futur antérieur	
je mettrai	j'	aurai	mis
tu mettras	tu	auras	mis
il mettra	il	aura	mis
ns mettrons	ns	aurons	mis
vs mettrez	vs	aurez	mis
ils mettront	ils	auront	mis
Passé simple		Passé antérieur	
je mis	j'	eus	mis
tu mis	tu	eus	mis
il mit	il	eut	mis
ns mîmes	ns	eûmes	mis
vs mîtes	vs	eûtes	mis
ils mirent	ils	eurent	mis
Conditionnel présent		Conditionnel passé	
je mettrais	j'	aurais	mis
tu mettrais	tu	aurais	mis
il mettrait	il	aurait	mis
ns mettrions	ns	aurions	mis
vs mettriez	vs	auriez	mis
ils mettraient	ils	auraient	mis

SUBJONCTIF			
Présent		Passé	
je mette	j'	aie	mis
tu mettes	tu	aies	mis
il mette	il	ait	mis
ns mettions	ns	ayons	mis
vs mettiez	vs	ayez	mis
ils mettent	ils	aient	mis
Imparfait		Plus-que-parfait	
je misses	j'	eusse	mis
tu misses	tu	eusses	mis
il mît	il	eût	mis
ns missions	ns	eussions	mis
vs missiez	vs	eussiez	mis
ils missent	ils	eussent	mis

IMPÉRATIF		
Présent	Passé	
mets	aie	mis
mettons	ayons	mis
mettez	ayez	mis

Même conjugaison pour *admettre, commettre, démettre, émettre, omettre, permettre, promettre, soumettre.*

LES VERBES DU TROISIÈME GROUPE

Mourir

INFINITIF

Présent	Passé
mourir	être mort

PARTICIPE

Présent	Passé
mourant	mort, e

INDICATIF

Présent	Passé composé
je meurs	je suis mort
tu meurs	tu es mort
il meurt	il est mort
ns mourons	ns sommes morts
vs mourez	vs êtes morts
ils meurent	ils sont morts

Imparfait	Plus-que-parfait
je mourais	j' étais mort
tu mourais	tu étais mort
il mourait	il était mort
ns mourions	ns étions morts
vs mouriez	vs étiez morts
ils mouraient	ils étaient morts

Futur simple	Futur antérieur
je mourrai	je serai mort
tu mourras	tu seras mort
il mourra	il sera mort
ns mourrons	ns serons morts
vs mourrez	vs serez morts
ils mourront	ils seront morts

Passé simple	Passé antérieur
je mourus	je fus mort
tu mourus	tu fus mort
il mourut	il fut mort
ns mourûmes	ns fûmes morts
vs mourûtes	vs fûtes morts
ils moururent	ils furent morts

Conditionnel présent	Conditionnel passé
je mourrais	je serais mort
tu mourrais	tu serais mort
il mourrait	il serait mort
ns mourrions	ns serions morts
vs mourriez	vs seriez morts
ils mourraient	ils seraient morts

SUBJONCTIF

Présent	Passé
je meure	je sois mort
tu meures	tu sois mort
il meure	il soit mort
ns mourions	ns soyons morts
vs mouriez	vs soyez morts
ils meurent	ils soient morts

Imparfait	Plus-que-parfait
je mourusse	je fusse mort
tu mourusses	tu fusses mort
il mourût	il fût mort
ns mourussions	ns fussions morts
vs mourussiez	vs fussiez morts
ils mourussent	ils fussent morts

IMPÉRATIF

Présent	Passé
meurs	sois mort
mourons	soyons morts
mourez	soyez morts

LES VERBES DU TROISIÈME GROUPE

Naître

INFINITIF	
Présent	Passé
naître	être né

PARTICIPE	
Présent	Passé
naissant	né, e

INDICATIF

Présent	Passé composé		
je nais	je suis	né
tu nais	tu es	né
il naît	il est	né
ns naissons	ns sommes	nés
vs naissez	vs êtes	nés
ils naissent	ils sont	nés

Imparfait	Plus-que-parfait		
je naissais	j' étais	né
tu naissais	tu étais	né
il naissait	il était	né
ns naissions	ns étions	nés
vs naissiez	vs étiez	nés
ils naissaient	ils étaient	nés

Futur simple	Futur antérieur		
je naîtrai	je serais	né
tu naîtras	tu seras	né
il naîtra	il sera	né
ns naîtrons	ns serons	nés
vs naîtrez	vs serez	nés
ils naîtront	ils seront	nés

Passé simple	Passé antérieur		
je naquis	je fus	né
tu naquis	tu fus	né
il naquit	il fut	né
ns naquîmes	ns fûmes	nés
vs naquîtes	vs fûtes	nés
ils naquirent	ils furent	nés

Conditionnel présent	Conditionnel passé		
je naîtrais	je serais	né
tu naîtrais	tu serais	né
il naîtrait	il serait	né
ns naîtrions	ns serions	nés
vs naîtriez	vs seriez	nés
ils naîtraient	ils seraient	nés

SUBJONCTIF

Présent	Passé		
je naisse	je sois	né
tu naisses	tu sois	né
il naisse	il soit	né
ns naissions	ns soyons	nés
vs naissiez	vs soyez	nés
ils naissent	ils soient	nés

Imparfait	Plus-que-parfait		
je naquisse	je fusse	né
tu naquisses	tu fusses	né
il naquît	il fût	né
ns naquissions	ns fussions	nés
vs naquissiez	vs fussiez	nés
ils naquissent	ils fussent	nés

IMPÉRATIF

Présent	Passé	
nais	sois	né
naissons	soyons	nés
naissez	soyez	nés

Les « Rectifications de l'orthographe » de 1990 autorisent la suppression de l'accent circonflexe sur le î dans toute la conjugaison : *naitre*.

LES VERBES DU TROISIÈME GROUPE

Ouvrir

INFINITIF	
Présent	Passé
ouvrir	avoir ouvert

PARTICIPE	
Présent	Passé
ouvrant	ouvert, e

INDICATIF

Présent	Passé composé	
j' ouvre	j' ai	ouvert
tu ouvres	tu as	ouvert
il ouvre	il a	ouvert
ns ouvrons	ns avons	ouvert
vs ouvrez	vs avez	ouvert
ils ouvrent	ils ont	ouvert

Imparfait	Plus-que-parfait	
j' ouvrais	j' avais	ouvert
tu ouvrais	tu avais	ouvert
il ouvrait	il avait	ouvert
ns ouvrions	ns avions	ouvert
vs ouvriez	vs aviez	ouvert
ils ouvraient	ils avaient	ouvert

Futur simple	Futur antérieur	
j' ouvrirai	j' aurai	ouvert
tu ouvriras	tu auras	ouvert
il ouvrira	il aura	ouvert
ns ouvrirons	ns aurons	ouvert
vs ouvrirez	vs aurez	ouvert
ils ouvriront	ils auront	ouvert

Passé simple	Passé antérieur	
j' ouvris	j' eus	ouvert
tu ouvris	tu eus	ouvert
il ouvrit	il eut	ouvert
ns ouvrîmes	ns eûmes	ouvert
vs ouvrîtes	vs eûtes	ouvert
ils ouvrirent	ils eurent	ouvert

Conditionnel présent	Conditionnel passé	
j' ouvrirais	j' aurais	ouvert
tu ouvrirais	tu aurais	ouvert
il ouvrirait	il aurait	ouvert
ns ouvririons	ns aurions	ouvert
vs ouvririez	vs auriez	ouvert
ils ouvriraient	ils auraient	ouvert

SUBJONCTIF

Présent	Passé	
j' ouvre	j' aie	ouvert
tu ouvres	tu aies	ouvert
il ouvre	il ait	ouvert
ns ouvrions	ns ayons	ouvert
vs ouvriez	vs ayez	ouvert
ils ouvrent	ils aient	ouvert

Imparfait	Plus-que-parfait	
j' ouvrisse	j' eusse	ouvert
tu ouvrisses	tu eusses	ouvert
il ouvrît	il eût	ouvert
ns ouvrissions	ns eussions	ouvert
vs ouvrissiez	vs eussiez	ouvert
ils ouvrissent	ils eussent	ouvert

IMPÉRATIF

Présent	Passé	
ouvre	aie	ouvert
ouvrons	ayons	ouvert
ouvrez	ayez	ouvert

Même conjugaison pour *couvrir, offrir, souffrir*.

LES VERBES DU TROISIÈME GROUPE

Peindre

INFINITIF	
Présent	Passé
peindre	avoir peint

PARTICIPE	
Présent	Passé
peignant	peint, e

INDICATIF		
Présent	**Passé composé**	
je peins	j' ai	peint
tu peins	tu as	peint
il peint	il a	peint
ns peignons	ns avons	peint
vs peignez	vs avez	peint
ils peignent	ils ont	peint
Imparfait	**Plus-que-parfait**	
je peignais	j' avais	peint
tu peignais	tu avais	peint
il peignait	il avait	peint
ns peignions	ns avions	peint
vs peigniez	vs aviez	peint
ils peignaient	ils avaient	peint
Futur simple	**Futur antérieur**	
je peindrai	j' aurai	peint
tu peindras	tu auras	peint
il peindra	il aura	peint
ns peindrons	ns aurons	peint
vs peindrez	vs aurez	peint
ils peindront	ils auront	peint
Passé simple	**Passé antérieur**	
je peignis	j' eus	peint
tu peignis	tu eus	peint
il peignit	il eut	peint
ns peignîmes	ns eûmes	peint
vs peignîtes	vs eûtes	peint
ils peignirent	ils eurent	peint
Conditionnel présent	**Conditionnel passé**	
je peindrais	j' aurais	peint
tu peindrais	tu aurais	peint
il peindrait	il aurait	peint
ns peindrions	ns aurions	peint
vs peindriez	vs auriez	peint
ils peindraient	ils auraient	peint

SUBJONCTIF		
Présent	**Passé**	
je peigne	j' aie	peint
tu peignes	tu aies	peint
il peigne	il ait	peint
ns peignions	ns ayons	peint
vs peigniez	vs ayez	peint
ils peignent	ils aient	peint
Imparfait	**Plus-que-parfait**	
je peignisse	j' eusse	peint
tu peignisses	tu eusses	peint
il peignît	il eût	peint
ns peignissions	ns eussions	peint
vs peignissiez	vs eussiez	peint
ils peignissent	ils eussent	peint

IMPÉRATIF		
Présent	**Passé**	
peins	aie	peint
peignons	ayons	peint
peignez	ayez	peint

Même conjugaison pour les verbes en -*eindre* : *atteindre, ceindre, déteindre, enfreindre, éteindre, étreindre, feindre, geindre, restreindre, teindre.*
Pour les verbes en -*aindre* : *contraindre, craindre, plaindre.*
Pour les verbes en -*oindre* : *adjoindre, disjoindre, joindre, rejoindre.*

LES VERBES DU TROISIÈME GROUPE

Perdre

INFINITIF	
Présent	Passé
perdre	avoir perdu

PARTICIPE	
Présent	Passé
perdant	perdu, e

INDICATIF

Présent	Passé composé	
je perds	j' ai	perdu
tu perds	tu as	perdu
il perd	il a	perdu
ns perdons	ns avons	perdu
vs perdez	vs avez	perdu
ils perdent	ils ont	perdu

Imparfait	Plus-que-parfait	
je perdais	j' avais	perdu
tu perdais	tu avais	perdu
il perdait	il avait	perdu
ns perdions	ns avions	perdu
vs perdiez	vs aviez	perdu
ils perdaient	ils avaient	perdu

Futur simple	Futur antérieur	
je perdrai	j' aurai	perdu
tu perdras	tu auras	perdu
il perdra	il aura	perdu
ns perdrons	ns aurons	perdu
vs perdrez	vs aurez	perdu
ils perdront	ils auront	perdu

Passé simple	Passé antérieur	
je perdis	j' eus	perdu
tu perdis	tu eus	perdu
il perdit	il eut	perdu
ns perdîmes	ns eûmes	perdu
vs perdîtes	vs eûtes	perdu
ils perdirent	ils eurent	perdu

Conditionnel présent	Conditionnel passé	
je perdrais	j' aurais	perdu
tu perdrais	tu aurais	perdu
il perdrait	il aurait	perdu
ns perdrions	ns aurions	perdu
vs perdriez	vs auriez	perdu
ils perdraient	ils auraient	perdu

SUBJONCTIF

Présent	Passé	
je perde	j' aie	perdu
tu perdes	tu aies	perdu
il perde	il ait	perdu
ns perdions	ns ayons	perdu
vs perdiez	vs ayez	perdu
ils perdent	ils aient	perdu

Imparfait	Plus-que-parfait	
je perdisse	j' eusse	perdu
tu perdisses	tu eusses	perdu
il perdît	il eût	perdu
ns perdissions	ns eussions	perdu
vs perdissiez	vs eussiez	perdu
ils perdissent	ils eussent	perdu

IMPÉRATIF

Présent	Passé	
perds	aie	perdu
perdons	ayons	perdu
perdez	ayez	perdu

LES VERBES DU TROISIÈME GROUPE

Plaire

INFINITIF	
Présent	Passé
plaire	avoir plu

PARTICIPE	
Présent	Passé
plaisant	plu

INDICATIF	
Présent	**Passé composé**
je plais	j' ai plu
tu plais	tu as plu
il plaît	il a plu
ns plaisons	ns avons plu
vs plaisez	vs avez plu
ils plaisent	ils ont plu
Imparfait	**Plus-que-parfait**
je plaisais	j' avais plu
tu plaisais	tu avais plu
il plaisait	il avait plu
ns plaisions	ns avions plu
vs plaisiez	vs aviez plu
ils plaisaient	ils avaient plu
Futur simple	**Futur antérieur**
je plairai	j' aurai plu
tu plairas	tu auras plu
il plaira	il aura plu
ns plairons	ns aurons plu
vs plairez	vs aurez plu
ils plairont	ils auront plu
Passé simple	**Passé antérieur**
je plus	j' eus plu
tu plus	tu eus plu
il plut	il eut plu
ns plûmes	ns eûmes plu
vs plûtes	vs eûtes plu
ils plurent	ils eurent plu
Conditionnel présent	**Conditionnel passé**
je plairais	j' aurais plu
tu plairais	tu aurais plu
il plairait	il aurait plu
ns plairions	ns aurions plu
vs plairiez	vs auriez plu
ils plairaient	ils auraient plu

SUBJONCTIF	
Présent	**Passé**
je plaise	j' aie plu
tu plaises	tu aies plu
il plaise	il ait plu
ns plaisions	ns ayons plu
vs plaisiez	vs ayez plu
ils plaisent	ils aient plu
Imparfait	**Plus-que-parfait**
je plusse	j' eusse plu
tu plusses	tu eusses plu
il plût	il eût plu
ns plussions	ns eussions plu
vs plussiez	vs eussiez plu
ils plussent	ils eussent plu

IMPÉRATIF	
Présent	**Passé**
plais	aie plu
plaisons	ayons plu
plaisez	ayez plu

• Même conjugaison pour *taire* et *se taire*. Mais il n'y a pas d'accent circonflexe à la 3ᵉ personne du présent : *il se tait*.
•Les « Rectifications de l'orthographe » de 1990 autorisent la forme : *il plait*.

LES VERBES DU TROISIÈME GROUPE

Pouvoir

<table>
<tr><td colspan="2">INFINITIF</td></tr>
<tr><td>Présent</td><td>Passé</td></tr>
<tr><td>pouvoir</td><td>avoir pu</td></tr>
</table>

<table>
<tr><td colspan="2">PARTICIPE</td></tr>
<tr><td>Présent</td><td>Passé</td></tr>
<tr><td>pouvant</td><td>pu</td></tr>
</table>

INDICATIF

Présent	Passé composé
je peux (puis)	j' ai pu
tu peux	tu as pu
il peut	il a pu
ns pouvons	ns avons pu
vs pouvez	vs avez pu
ils peuvent	ils ont pu

Imparfait	Plus-que-parfait
je pouvais	j' avais pu
tu pouvais	tu avais pu
il pouvait	il avait pu
ns pouvions	ns avions pu
vs pouviez	vs aviez pu
ils pouvaient	ils avaient pu

Futur simple	Futur antérieur
je pourrai	j' aurai pu
tu pourras	tu auras pu
il pourra	il aura pu
ns pourrons	ns aurons pu
vs pourrez	vs aurez pu
ils pourront	ils auront pu

Passé simple	Passé antérieur
je pus	j' eus pu
tu pus	tu eus pu
il put	il eut pu
ns pûmes	ns eûmes pu
vs pûtes	vs eûtes pu
ils purent	ils eurent pu

Conditionnel présent	Conditionnel passé
je pourrais	j' aurais pu
tu pourrais	tu aurais pu
il pourrait	il aurait pu
ns pourrions	ns aurions pu
vs pourriez	vs auriez pu
ils pourraient	ils auraient pu

SUBJONCTIF

Présent	Passé
je puisse	j' aie pu
tu puisses	tu aies pu
il puisse	il ait pu
ns puissions	ns ayons pu
vs puissiez	vs ayez pu
ils puissent	ils aient pu

Imparfait	Plus-que-parfait
je pusse	j' eusse pu
tu pusses	tu eusses pu
il pût	il eût pu
ns pussions	ns eussions pu
vs pussiez	vs eussiez pu
ils pussent	ils eussent pu

IMPÉRATIF

Présent	Passé
inusité	*inusité*

• Dans la phrase interrogative avec inversion du sujet (p. 103) *Peux* est remplacé par *puis* : *Puis-je ?* Au subjonctif : *Puissé-je ?*
• Les « Rectifications de l'orthographe » de 1990 autorisent la forme : *Puissè-je ?*

LES VERBES DU TROISIÈME GROUPE

Prendre

INFINITIF		PARTICIPE	
Présent	Passé	Présent	Passé
prendre	avoir pris	prenant	pris, e

INDICATIF		SUBJONCTIF	
Présent	Passé composé	Présent	Passé
je prends	j' ai pris	je prenne	j' aie pris
tu prends	tu as pris	tu prennes	tu aies pris
il prend	il a pris	il prenne	il ait pris
ns prenons	ns avons pris	ns prenions	ns ayons pris
vs prenez	vs avez pris	vs preniez	vs ayez pris
ils prennent	ils ont pris	ils prennent	ils aient pris
Imparfait	Plus-que-parfait	Imparfait	Plus-que-parfait
je prenais	j' avais pris	je prisse	j' eusse pris
tu prenais	tu avais pris	tu prisses	tu eusses pris
il prenait	il avait pris	il prît	il eût pris
ns prenions	ns avions pris	ns prissions	ns eussions pris
vs preniez	vs aviez pris	vs prissiez	vs eussiez pris
ils prenaient	ils avaient pris	ils prissent	ils eussent pris
Futur simple	Futur antérieur		
je prendrai	j' aurai pris		
tu prendras	tu auras pris		
il prendra	il aura pris		
ns prendrons	ns aurons pris		
vs prendrez	vs aurez pris		
ils prendront	ils auront pris		

IMPÉRATIF		
Présent	Passé	
prends	aie pris	
prenons	ayons pris	
prenez	ayez pris	

Passé simple	Passé antérieur
je pris	j' eus pris
tu pris	tu eus pris
il prit	il eut pris
ns prîmes	ns eûmes pris
vs prîtes	vs eûtes pris
ils prirent	ils eurent pris

Conditionnel présent	Conditionnel passé
je prendrais	j' aurais pris
tu prendrais	tu aurais pris
il prendrait	il aurait pris
ns prendrions	ns aurions pris
vs prendriez	vs auriez pris
ils prendraient	ils auraient pris

Même conjugaison pour *apprendre, comprendre, entreprendre, s'éprendre, se méprendre, surprendre.*

LES VERBES DU TROISIÈME GROUPE

Répondre

INFINITIF	
Présent	**Passé**
répondre	avoir répondu

PARTICIPE	
Présent	**Passé**
répondant	répondu, e

INDICATIF

Présent	Passé composé		
je réponds	j'	ai	répondu
tu réponds	tu	as	répondu
il répond	il	a	répondu
ns répondons	ns	avons	répondu
vs répondez	vs	avez	répondu
ils répondent	ils	ont	répondu

Imparfait	Plus-que-parfait		
je répondais	j'	avais	répondu
tu répondais	tu	avais	répondu
il répondait	il	avait	répondu
ns répondions	ns	avions	répondu
vs répondiez	vs	aviez	répondu
ils répondaient	ils	avaient	répondu

Futur simple	Futur antérieur		
je répondrai	j'	aurai	répondu
tu répondras	tu	auras	répondu
il répondra	il	aura	répondu
ns répondrons	ns	aurons	répondu
vs répondrez	vs	aurez	répondu
ils répondront	ils	auront	répondu

Passé simple	Passé antérieur		
je répondis	j'	eus	répondu
tu répondis	tu	eus	répondu
il répondit	il	eut	répondu
ns répondîmes	ns	eûmes	répondu
vs répondîtes	vs	eûtes	répondu
ils répondirent	ils	eurent	répondu

Conditionnel présent	Conditionnel passé		
je répondrais	j'	aurais	répondu
tu répondrais	tu	aurais	répondu
il répondrait	il	aurait	répondu
ns répondrions	ns	aurions	répondu
vs répondriez	vs	auriez	répondu
ils répondraient	ils	auraient	répondu

SUBJONCTIF

Présent	Passé		
je réponde	j'	aie	répondu
tu répondes	tu	aies	répondu
il réponde	il	ait	répondu
ns répondions	ns	ayons	répondu
vs répondiez	vs	ayez	répondu
ils répondent	ils	aient	répondu

Imparfait	Plus-que-parfait		
je répondisse	j'	eusse	répondu
tu répondisses	tu	eusses	répondu
il répondît	il	eût	répondu
ns répondissions	ns	eussions	répondu
vs répondissiez	vs	eussiez	répondu
ils répondissent	ils	eussent	répondu

IMPÉRATIF

Présent	Passé	
réponds	aie	répondu
répondons	ayons	répondu
répondez	ayez	répondu

Même conjugaison pour *confondre, correspondre, fondre, pondre, tondre.*

LES VERBES DU TROISIÈME GROUPE

Rire

INFINITIF	
Présent	Passé
rire	avoir ri

PARTICIPE	
Présent	Passé
riant	ri

INDICATIF

Présent	Passé composé	
je ris	j' ai	ri
tu ris	tu as	ri
il rit	il a	ri
ns rions	ns avons	ri
vs riez	vs avez	ri
ils rient	ils ont	ri

Imparfait	Plus-que-parfait	
je riais	j' avais	ri
tu riais	tu avais	ri
il riait	il avait	ri
ns riions	ns avions	ri
vs riiez	vs aviez	ri
ils riaient	ils avaient	ri

Futur simple	Futur antérieur	
je rirai	j' aurai	ri
tu riras	tu auras	ri
il rira	il aura	ri
ns rirons	ns aurons	ri
vs rirez	vs aurez	ri
ils riront	ils auront	ri

Passé simple	Passé antérieur	
je ris	j' eus	ri
tu ris	tu eus	ri
il rit	il eut	ri
ns rîmes	ns eûmes	ri
vs rîtes	vs eûtes	ri
ils rirent	ils eurent	ri

Conditionnel présent	Conditionnel passé	
je rirais	j' aurais	ri
tu rirais	tu aurais	ri
il rirait	il aurait	ri
ns ririons	ns aurions	ri
vs ririez	vs auriez	ri
ils riraient	ils auraient	ri

SUBJONCTIF

Présent	Passé	
je rie	j' aie	ri
tu ries	tu aies	ri
il rie	il ait	ri
ns riions	ns ayons	ri
vs riiez	vs ayez	ri
ils rient	ils aient	ri

Imparfait (rare)	Plus-que-parfait	
je risse	j' eusse	ri
tu risses	tu eusses	ri
il rît	il eût	ri
ns rissions	ns eussions	ri
vs rissiez	vs eussiez	ri
ils rissent	ils eussent	ri

IMPÉRATIF

Présent	Passé	
ris	aie	ri
rions	ayons	ri
riez	ayez	ri

• Même conjugaison pour *sourire*.
• Même conjugaison pour les verbes en *u* :
conclure, exclure ; *conclu, exclu*.
De même pour *inclure*,
mais avec le participe passé *inclus*.

LES VERBES DU TROISIÈME GROUPE

Savoir

INFINITIF	
Présent	**Passé**
savoir	avoir su

PARTICIPE	
Présent	**Passé**
sachant	su, e

INDICATIF	
Présent	**Passé composé**
je sais	j' ai su
tu sais	tu as su
il sait	il a su
ns savons	ns avons su
vs savez	vs avez su
ils savent	ils ont su
Imparfait	**Plus-que-parfait**
je savais	j' avais su
tu savais	tu avais su
il savait	il avait su
ns savions	ns avions su
vs saviez	vs aviez su
ils savaient	ils avaient su
Futur simple	**Futur antérieur**
je saurai	j' aurai su
tu sauras	tu auras su
il saura	il aura su
ns saurons	ns aurons su
vs saurez	vs aurez su
ils sauront	ils auront su
Passé simple	**Passé antérieur**
je sus	j' eus su
tu sus	tu eus su
il sut	il eut su
ns sûmes	ns eûmes su
vs sûtes	vs eûtes su
ils surent	ils eurent su
Conditionnel présent	**Conditionnel passé**
je saurais	j' aurais su
tu saurais	tu aurais su
il saurait	il aurait su
ns saurions	ns aurions su
vs sauriez	vs auriez su
ils sauraient	ils auraient su

SUBJONCTIF	
Présent	**Passé**
je sache	j' aie su
tu saches	tu aies su
il sache	il ait su
ns sachions	ns ayons su
vs sachiez	vs ayez su
ils sachent	ils aient su
Imparfait	**Plus-que-parfait**
je susse	j' eusse su
tu susses	tu eusses su
il sût	il eût su
ns sussions	ns eussions su
vs sussiez	vs eussiez su
ils sussent	ils eussent su

IMPÉRATIF	
Présent	**Passé**
sache	aie su
sachons	ayons su
sachez	ayez su

LES VERBES DU TROISIÈME GROUPE

Soustraire

INFINITIF		
Présent	**Passé**	
soustraire	avoir	soustrait

PARTICIPE		
Présent	**Passé**	
soustrayant	soustrait, e	

INDICATIF		
Présent	**Passé composé**	
je soustrais	j' ai	soustrait
tu soustrais	tu as	soustrait
il soustrait	il a	soustrait
ns soustrayons	ns avons	soustrait
vs soustrayez	vs avez	soustrait
ils soustraient	ils ont	soustrait
Imparfait	**Plus-que-parfait**	
je soustrayais	j' avais	soustrait
tu soustrayais	tu avais	soustrait
il soustrayait	il avait	soustrait
ns soustrayions	ns avions	soustrait
vs soustrayiez	vs aviez	soustrait
ils soustrayaient	ils avaient	soustrait
Futur simple	**Futur antérieur**	
je soustrairai	j' aurai	soustrait
tu soustrairas	tu auras	soustrait
il soustraira	il aura	soustrait
ns soustrairons	ns aurons	soustrait
vs soustrairez	vs aurez	soustrait
ils soustrairont	ils auront	soustrait
Passé simple	**Passé antérieur**	
inusité	j' eus	soustrait
	tu eus	soustrait
	il eut	soustrait
	ns eûmes	soustrait
	vs eûtes	soustrait
	ils eurent	soustrait
Conditionnel présent	**Conditionnel passé**	
je soustrairais	j' aurais	soustrait
tu soustrairais	tu aurais	soustrait
il soustrairait	il aurait	soustrait
ns soustrairions	ns aurions	soustrait
vs soustrairiez	vs auriez	soustrait
ils soustrairaient	ils auraient	soustrait

SUBJONCTIF		
Présent	**Passé**	
je soustraie	j' aie	soustrait
tu soustraies	tu aies	soustrait
il soustraie	il ait	soustrait
ns soustrayions	ns ayons	soustrait
vs soustrayiez	vs ayez	soustrait
ils soustraient	ils aient	soustrait
Imparfait	**Plus-que-parfait**	
inusité	j' eusse	soustrait
	tu eusse	soustrait
	il eût	soustrait
	ns eussions	soustrait
	vs eussiez	soustrait
	ils eussent	soustrait

IMPÉRATIF		
Présent	**Passé**	
soustrais	aie	soustrait
soustrayons	ayons	soustrait
soustrayez	ayez	soustrait

Même conjugaison pour *extraire, distraire, traire*.

LES VERBES DU TROISIÈME GROUPE

Suivre

INFINITIF		PARTICIPE	
Présent	Passé	Présent	Passé
suivre	avoir suivi	suivant	suivi, e

INDICATIF

Présent	Passé composé
je suis	j' ai suivi
tu suis	tu as suivi
il suit	il a suivi
ns suivons	ns avons suivi
vs suivez	vs avez suivi
ils suivent	ils ont suivi

Imparfait	Plus-que-parfait
je suivais	j' avais suivi
tu suivais	tu avais suivi
il suivait	il avait suivi
ns suivions	ns avions suivi
vs suiviez	vs aviez suivi
ils suivaient	ils avaient suivi

Futur simple	Futur antérieur
je suivrai	j' aurai suivi
tu suivras	tu auras suivi
il suivra	il aura suivi
ns suivrons	ns aurons suivi
vs suivrez	vs aurez suivi
ils suivront	ils auront suivi

Passé simple	Passé antérieur
je suivis	j' eus suivi
tu suivis	tu eus suivi
il suivit	il eut suivi
ns suivîmes	ns eûmes suivi
vs suivîtes	vs eûtes suivi
ils suivirent	ils eurent suivi

Conditionnel présent	Conditionnel passé
je suivrais	j' aurais suivi
tu suivrais	tu aurais suivi
il suivrait	il aurait suivi
ns suivrions	ns aurions suivi
vs suivriez	vs auriez suivi
ils suivraient	ils auraient suivi

SUBJONCTIF

Présent	Passé
je suive	j' aie suivi
tu suives	tu aies suivi
il suive	il ait suivi
ns suivions	ns ayons suivi
vs suiviez	vs ayez suivi
ils suivent	ils aient suivi

Imparfait	Plus-que-parfait
je suivisse	j' eusse suivi
tu suivisses	tu eusses suivi
il suivît	il eût suivi
ns suivissions	ns eussions suivi
vs suivissiez	vs eussiez suivi
ils suivissent	ils eussent suivi

IMPÉRATIF

Présent	Passé
suis	aie suivi
suivons	ayons suivi
suivez	ayez suivi

Même conjugaison pour *s'ensuivre, poursuivre*.

LES VERBES DU TROISIÈME GROUPE

Tressaillir

INFINITIF

Présent	Passé	
tressaillir	avoir	tressailli

PARTICIPE

Présent	Passé
tressaillant	tressailli

INDICATIF

Présent	Passé composé	
je tressaille	j' ai	tressailli
tu tressailles	tu as	tressailli
il tressaille	il a	tressailli
ns tressaillons	ns avons	tressailli
vs tressaillez	vs avez	tressailli
ils tressaillent	ils ont	tressailli

Imparfait	Plus-que-parfait	
je tressaillais	j' avais	tressailli
tu tressaillais	tu avais	tressailli
il tressaillait	il avait	tressailli
ns tressaillions	ns avions	tressailli
vs tressailliez	vs aviez	tressailli
ils tressaillaient	ils avaient	tressailli

Futur simple	Futur antérieur	
je tressaillirai	j' aurai	tressailli
tu tressailliras	tu auras	tressailli
il tressaillira	il aura	tressailli
ns tressaillirons	ns aurons	tressailli
vs tressaillirez	vs aurez	tressailli
ils tressailliront	ils auront	tressailli

Passé simple	Passé antérieur	
je tressaillis	j' eus	tressailli
tu tressaillis	tu eus	tressailli
il tressaillit	il eut	tressailli
ns tressaillîmes	ns eûmes	tressailli
vs tressaillîtes	vs eûtes	tressailli
ils tressaillirent	ils eurent	tressailli

Conditionnel présent	Conditionnel passé	
je tressaillirais	j' aurais	tressailli
tu tressaillirais	tu aurais	tressailli
il tressaillirait	il aurait	tressailli
ns tressaillirions	ns aurions	tressailli
vs tressailliriez	vs auriez	tressailli
ils tressailliraient	ils auraient	tressailli

SUBJONCTIF

Présent	Passé	
je tressaille	j' aie	tressailli
tu tressailles	tu aies	tressailli
il tressaille	il ait	tressailli
ns tressaillions	ns ayons	tressailli
vs tressailliez	vs ayez	tressailli
ils tressaillent	ils aient	tressailli

Imparfait	Plus-que-parfait	
je tressaillisse	j' eusse	tressailli
tu tressaillisses	tu eusses	tressailli
il tressaillît	il eût	tressailli
ns tressaillissions	ns eussions	tressailli
vs tressaillissiez	vs eussiez	tressailli
ils tressaillissent	ils eussent	tressailli

IMPÉRATIF

Présent	Passé	
tressaille	aie	tressailli
tressaillons	ayons	tressailli
tressaillez	ayez	tressailli

• L'usage admet aussi les formes du futur : *je tressaillerai, nous tressaillerons* ; et du conditionnel : *je tressaillerais, nous tressaillerions.*
• Même conjugaison pour *assaillir, défaillir.*

LES VERBES DU TROISIÈME GROUPE

Tordre

INFINITIF

Présent	Passé
tordre	avoir tordu

PARTICIPE

Présent	Passé
tordant	tordu, e

INDICATIF

Présent	Passé composé		
je tords	j'	ai	tordu
tu tords	tu	as	tordu
il tord	il	a	tordu
ns tordons	ns	avons	tordu
vs tordez	vs	avez	tordu
ils tordent	ils	ont	tordu

Imparfait	Plus-que-parfait		
je tordais	j'	avais	tordu
tu tordais	tu	avais	tordu
il tordait	il	avait	tordu
ns tordions	ns	avions	tordu
vs tordiez	vs	aviez	tordu
ils tordaient	ils	avaient	tordu

Futur simple	Futur antérieur		
je tordrai	j'	aurai	tordu
tu tordras	tu	auras	tordu
il tordra	il	aura	tordu
ns tordrons	ns	aurons	tordu
vs tordrez	vs	aurez	tordu
ils tordront	ils	auront	tordu

Passé simple	Passé antérieur		
je tordis	j'	eus	tordu
tu tordis	tu	eus	tordu
il tordit	il	eut	tordu
ns tordîmes	ns	eûmes	tordu
vs tordîtes	vs	eûtes	tordu
ils tordirent	ils	eurent	tordu

Conditionnel présent	Conditionnel passé		
je tordrais	j'	aurais	tordu
tu tordrais	tu	aurais	tordu
il tordrait	il	aurait	tordu
ns tordrions	ns	aurions	tordu
vs tordriez	vs	auriez	tordu
ils tordraient	ils	auraient	tordu

SUBJONCTIF

Présent	Passé		
je torde	j'	aie	tordu
tu tordes	tu	aies	tordu
il torde	il	ait	tordu
ns tordions	ns	ayons	tordu
vs tordiez	vs	ayez	tordu
ils tordent	ils	aient	tordu

Imparfait	Plus-que-parfait		
je tordisse	j'	eusse	tordu
tu tordisses	tu	eusses	tordu
il tordît	il	eût	tordu
ns tordissions	ns	eussions	tordu
vs tordissiez	vs	eussiez	tordu
ils tordissent	ils	eussent	tordu

IMPÉRATIF

Présent	Passé	
tords	aie	tordu
tordons	ayons	tordu
tordez	ayez	tordu

Même conjugaison pour *mordre*.

LES VERBES DU TROISIÈME GROUPE

Valoir

INFINITIF		PARTICIPE	
Présent	**Passé**	**Présent**	**Passé**
valoir	avoir valu	valant	valu

INDICATIF

Présent	Passé composé
je vaux	j' ai valu
tu vaux	tu as valu
il vaut	il a valu
ns valons	ns avons valu
vs valez	vs avez valu
ils valent	ils ont valu

Imparfait	Plus-que-parfait
je valais	j' avais valu
tu valais	tu avais valu
il valait	il avait valu
ns valions	ns avions valu
vs valiez	vs aviez valu
ils valaient	ils avaient valu

Futur simple	Futur antérieur
je vaudrai	j' aurai valu
tu vaudras	tu auras valu
il vaudra	il aura valu
ns vaudrons	ns aurons valu
vs vaudrez	vs aurez valu
ils vaudront	ils auront valu

Passé simple	Passé antérieur
je valus	j' eus valu
tu valus	tu eus valu
il valut	il eut valu
ns valûmes	ns eûmes valu
vs valûtes	vs eûtes valu
ils valurent	ils eurent valu

Conditionnel présent	Conditionnel passé
je vaudrais	j' aurais valu
tu vaudrais	tu aurais valu
il vaudrait	il aurait valu
ns vaudrions	ns aurions valu
vs vaudriez	vs auriez valu
ils vaudraient	ils auraient valu

SUBJONCTIF

Présent	Passé
je vaille	j' aie valu
tu vailles	tu aies valu
il vaille	il ait valu
ns valions	ns ayons valu
vs valiez	vs ayez valu
ils vaillent	ils aient valu

Imparfait	Plus-que-parfait
je valusse	j' eusse valu
tu valusses	tu eusses valu
il valût	il eût valu
ns valussions	ns eussions valu
vs valussiez	vs eussiez valu
ils valussent	ils eussent valu

IMPÉRATIF

Présent	Passé
vaux	aie valu
valons	ayons valu
valez	ayez valu

159

LES VERBES DU TROISIÈME GROUPE

Venir

INFINITIF		
Présent	**Passé**	
venir	être	venu

PARTICIPE		
Présent	**Passé**	
venant	venu, e	

INDICATIF

Présent	Passé composé	
je viens	je suis	venu
tu viens	tu es	venu
il vient	il est	venu
ns venons	ns sommes	venus
vs venez	vs êtes	venus
ils viennent	ils sont	venus

Imparfait	Plus-que-parfait	
je venais	j' étais	venu
tu venais	tu étais	venu
il venait	il était	venu
ns venions	ns étions	venus
vs veniez	vs étiez	venus
ils venaient	ils étaient	venus

Futur simple	Futur antérieur	
je viendrai	je serai	venu
tu viendras	tu seras	venu
il viendra	il sera	venu
ns viendrons	ns serons	venus
vs viendrez	vs serez	venus
ils viendront	ils seront	venus

Passé simple	Passé antérieur	
je vins	je fus	venu
tu vins	tu fus	venu
il vint	il fut	venu
ns vînmes	ns fûmes	venus
vs vîntes	vs fûtes	venus
ils vinrent	ils furent	venus

Conditionnel présent	Conditionnel passé	
je viendrais	je serais	venu
tu viendrais	tu serais	venu
il viendrait	il serait	venu
ns viendrions	ns serions	venus
vs viendriez	vs seriez	venus
ils viendraient	ils seraient	venus

SUBJONCTIF

Présent	Passé	
je vienne	je sois	venu
tu viennes	tu sois	venu
il vienne	il soit	venu
ns venions	ns soyons	venus
vs veniez	vs soyez	venus
ils viennent	ils soient	venus

Imparfait	Plus-que-parfait	
je vinsse	je fusse	venu
tu vinsses	tu fusses	venu
il vînt	il fût	venu
ns vinssions	ns fussions	venus
vs vinssiez	vs fussiez	venus
ils vinssent	ils fussent	venus

IMPÉRATIF

Présent	Passé	
viens	sois	venu
venons	soyons	venus
venez	soyez	venus

• Même conjugaison pour *devenir, intervenir, parvenir, provenir, se souvenir.* Même conjugaison, mais avec l'auxiliaire *avoir*, pour *prévenir*, et pour *tenir, appartenir, contenir, détenir, entretenir, maintenir, obtenir, retenir, soutenir.*

• *Convenir à* (« être ce qu'il faut à ») se conjugue avec *avoir* : *Cette couleur n'a pas convenu pour peindre le mur.*

• *Convenir de* (« tomber d'accord » ou « avouer ») se conjugue avec *avoir* dans l'usage courant et avec *être* dans l'usage soutenu : *Ils sont convenus de se revoir demain. Il est convenu de son erreur.*

LES VERBES DU TROISIÈME GROUPE

Vêtir

INFINITIF		
Présent	Passé	
vêtir	avoir	vêtu

PARTICIPE		
Présent	Passé	
vêtant	vêtu, e	

INDICATIF		
Présent	**Passé composé**	
je vêts	j' ai	vêtu
tu vêts	tu as	vêtu
il vêt	il a	vêtu
ns vêtons	ns avons	vêtu
vs vêtez	vs avez	vêtu
ils vêtent	ils ont	vêtu
Imparfait	**Plus-que-parfait**	
je vêtais	j' avais	vêtu
tu vêtais	tu avais	vêtu
il vêtait	il avait	vêtu
ns vêtions	ns avions	vêtu
vs vêtiez	vs aviez	vêtu
ils vêtaient	ils avaient	vêtu
Futur simple	**Futur antérieur**	
je vêtirai	j' aurai	vêtu
tu vêtiras	tu auras	vêtu
il vêtira	il aura	vêtu
ns vêtirons	ns aurons	vêtu
vs vêtirez	vs aurez	vêtu
ils vêtiront	ils auront	vêtu
Passé simple	**Passé antérieur**	
je vêtis	j' eus	vêtu
tu vêtis	tu eus	vêtu
il vêtit	il eut	vêtu
ns vêtîmes	ns eûmes	vêtu
vs vêtîtes	vs eûtes	vêtu
ils vêtirent	ils eurent	vêtu
Conditionnel présent	**Conditionnel passé**	
je vêtirais	j' aurais	vêtu
tu vêtirais	tu aurais	vêtu
il vêtirait	il aurait	vêtu
ns vêtirions	ns aurions	vêtu
vs vêtiriez	vs auriez	vêtu
ils vêtiraient	ils auraient	vêtu

SUBJONCTIF		
Présent	**Passé**	
je vête	j' aie	vêtu
tu vêtes	tu aies	vêtu
il vête	il ait	vêtu
ns vêtions	ns ayons	vêtu
vs vêtiez	vs ayez	vêtu
ils vêtent	ils aient	vêtu
Imparfait	**Plus-que-parfait**	
je vêtisse	j' eusse	vêtu
tu vêtisses	tu eusses	vêtu
il vêtît	il eût	vêtu
ns vêtissions	ns eussions	vêtu
vs vêtissiez	vs eussiez	vêtu
ils vêtissent	ils eussent	vêtu

IMPÉRATIF		
Présent	**Passé**	
vêts	aie	vêtu
vêtons	ayons	vêtu
vêtez	ayez	vêtu

Même conjugaison pour *dévêtir, revêtir.*

161

LES VERBES DU TROISIÈME GROUPE

Vivre

INFINITIF		PARTICIPE	
Présent	**Passé**	**Présent**	**Passé**
vivre	avoir vécu	vivant	vécu, e

INDICATIF

Présent	Passé composé		Imparfait	Plus-que-parfait	
je vis	j' ai	vécu	je vivais	j' avais	vécu
tu vis	tu as	vécu	tu vivais	tu avais	vécu
il vit	il a	vécu	il vivait	il avait	vécu
ns vivons	ns avons	vécu	ns vivions	ns avions	vécu
vs vivez	vs avez	vécu	vs viviez	vs aviez	vécu
ils vivent	ils ont	vécu	ils vivaient	ils avaient	vécu

Futur simple	Futur antérieur	
je vivrai	j' aurai	vécu
tu vivras	tu auras	vécu
il vivra	il aura	vécu
ns vivrons	ns aurons	vécu
vs vivrez	vs aurez	vécu
ils vivront	ils auront	vécu

Passé simple	Passé antérieur	
je vécus	j' eus	vécu
tu vécus	tu eus	vécu
il vécut	il eut	vécu
ns vécûmes	ns eûmes	vécu
vs vécûtes	vs eûtes	vécu
ils vécurent	ils eurent	vécu

Conditionnel présent	Conditionnel passé	
je vivrais	j' aurais	vécu
tu vivrais	tu aurais	vécu
il vivrait	il aurait	vécu
ns vivrions	ns aurions	vécu
vs vivriez	vs auriez	vécu
ils vivraient	ils auraient	vécu

SUBJONCTIF

Présent	Passé		Imparfait	Plus-que-parfait	
je vive	j' aie	vécu	je vécusse	j' eusse	vécu
tu vives	tu aies	vécu	tu vécusses	tu eusses	vécu
il vive	il ait	vécu	il vécût	il eût	vécu
ns vivions	ns ayons	vécu	ns vécussions	ns eussions	vécu
vs viviez	vs ayez	vécu	vs vécussiez	vs eussiez	vécu
ils vivent	ils aient	vécu	ils vécussent	ils eussent	vécu

IMPÉRATIF

Présent	Passé	
vis	aie	vécu
vivons	ayons	vécu
vivez	ayez	vécu

Même conjugaison pour *revivre, survivre*.

LES VERBES DU TROISIÈME GROUPE

Voir

INFINITIF		
Présent	**Passé**	
voir	avoir	vu

PARTICIPE		
Présent	**Passé**	
voyant	vu, e	

INDICATIF		
Présent	**Passé composé**	
je vois	j' ai	vu
tu vois	tu as	vu
il voit	il a	vu
ns voyons	ns avons	vu
vs voyez	vs avez	vu
ils voient	ils ont	vu
Imparfait	**Plus-que-parfait**	
je voyais	j' avais	vu
tu voyais	tu avais	vu
il voyait	il avait	vu
ns voyions	ns avions	vu
vs voyiez	vs aviez	vu
ils voyaient	ils avaient	vu
Futur simple	**Futur antérieur**	
je verrai	j' aurai	vu
tu verras	tu auras	vu
il verra	il aura	vu
ns verrons	ns aurons	vu
vs verrez	vs aurez	vu
ils verront	ils auront	vu
Passé simple	**Passé antérieur**	
je vis	j' eus	vu
tu vis	tu eus	vu
il vit	il eut	vu
ns vîmes	ns eûmes	vu
vs vîtes	vs eûtes	vu
ils virent	ils eurent	vu
Conditionnel présent	**Conditionnel passé**	
je verrais	j' aurais	vu
tu verrais	tu aurais	vu
il verrait	il aurait	vu
ns verrions	ns aurions	vu
vs verriez	vs auriez	vu
ils verraient	ils auraient	vu

SUBJONCTIF		
Présent	**Passé**	
je voie	j' aie	vu
tu voies	tu aies	vu
il voie	il ait	vu
ns voyions	ns ayons	vu
vs voyiez	vs ayez	vu
ils voient	ils aient	vu
Imparfait	**Plus-que-parfait**	
je visse	j' eusse	vu
tu visses	tu eusses	vu
il vît	il eût	vu
ns vissions	ns eussions	vu
vs vissiez	vs eussiez	vu
ils vissent	ils eussent	vu

IMPÉRATIF		
Présent	**Passé**	
vois	aie	vu
voyons	ayons	vu
voyez	ayez	vu

• Même conjugaison pour *entrevoir, revoir.*
• Même conjugaison pour *prévoir,* mais avec une différence au futur : *je prévoirai, nous prévoirons.*
• Même conjugaison pour *pourvoir,* mais avec deux différences.
Le futur : *je pourvoirai, nous pourvoirons.*
Le passé simple : *je pourvus, nous pourvûmes.*

LES VERBES DU TROISIÈME GROUPE

Vouloir

INFINITIF

Présent	Passé
vouloir	avoir voulu

PARTICIPE

Présent	Passé
voulant	voulu, e

INDICATIF

Présent	Passé composé
je veux	j' ai voulu
tu veux	tu as voulu
il veut	il a voulu
ns voulons	ns avons voulu
vs voulez	vs avez voulu
ils veulent	ils ont voulu

Imparfait	Plus-que-parfait
je voulais	j' avais voulu
tu voulais	tu avais voulu
il voulait	il avait voulu
ns voulions	ns avions voulu
vs vouliez	vs aviez voulu
ils voulaient	ils avaient voulu

Futur simple	Futur antérieur
je voudrai	j' aurai voulu
tu voudras	tu auras voulu
il voudra	il aura voulu
ns voudrons	ns aurons voulu
vs voudrez	vs aurez voulu
ils voudront	ils auront voulu

Passé simple	Passé antérieur
je voulus	j' eus voulu
tu voulus	tu eus voulu
il voulut	il eut voulu
ns voulûmes	ns eûmes voulu
vs voulûtes	vs eûtes voulu
ils voulurent	ils eurent voulu

Conditionnel présent	Conditionnel passé
je voudrais	j' aurais voulu
tu voudrais	tu aurais voulu
il voudrait	il aurait voulu
ns voudrions	ns aurions voulu
vs voudriez	vs auriez voulu
ils voudraient	ils auraient voulu

SUBJONCTIF

Présent	Passé
je veuille	j' aie voulu
tu veuilles	tu aies voulu
il veuille	il ait voulu
ns voulions	ns ayons voulu
vs vouliez	vs ayez voulu
ils veuillent	ils aient voulu

Imparfait	Plus-que-parfait
je voulusse	j' eusse voulu
tu voulusses	tu eusses voulu
il voulût	il eût voulu
ns voulussions	ns eussions voulu
vs voulussiez	vs eussiez voulu
ils voulussent	ils eussent voulu

IMPÉRATIF

Présent	Passé
veux (veuille)	aie voulu
voulons (veuillons)	ayons voulu
voulez (veuillez)	ayez voulu

ÉDITION : *Annie Chouard*
MAQUETTE : *Marie-Christine Carini*
COUVERTURE : *Marc & Yvette*

N° d'éditeur 10021567 I (15) CSBG 90°
Imprimé en France - Avril 1995
Imprimerie Jean-Lamour, 54320 Maxéville - N° 95030114